JN022723

妄想する頭 思考する手

想像を超えるアイデアのつくり方

暦本純一

祥伝社

妄想する頭　思考する手

はじめに

私の仕事は「発明」である。これまで世の中に存在しなかった新しい技術を生み出すのが、研究者である自分の役目だ。

発明というと、なんだか大袈裟(おおげさ)な話に聞こえるかもしれない。

でも、言葉の意味を「新しいものを生み出す」ことと広くとらえて考えてみると、これはそんなに特別な仕事ではない。「新しいものを生み出す」こととまったく無関係でいられる仕事は、たぶん、世の中にほとんどないはずだ。

とくに現在の社会は、あらゆる分野で「イノベーション＝変革」が必要とされている。私たちのような研究者やエンジニアが新しいテクノロジーの開発を求められるのと同じように、どんな業種でも、新しい商品やサービスなどの「発明」が常に求められている。

しかも、社会の変化の度合いはさらに加速している。そして、ただその変化についていくだけでなく、時代の変化を少しずつ先取りすることで、他人よりも前に出たいと誰もが考える。

だから、ライバルとの激しい先陣争いをくり広げているのも、私たち研究者だけではない。ＩＴをはじめとするテクノロジーの開発競争と同じように、あらゆる分野で仕事をする人たちが、日夜「誰が先に新しいアイデアを実現するか」という競争にさらされているにちがいない。日進月歩のイノベーションが求められる中で、多くの人が強い義務感に追い立てられるように「何か新しいことを考えなければ」「どうすれば新しいアイデアが思い浮かぶのだろう」と悩んでいるようにも見える。

私がこの本を書こうと思ったのは、イノベーションをめぐるそんな雰囲気に、強い違和感を抱いているからだ。

私たち人間は、いつも「新しいもの」を求めている。インターネットがなかった時代に戻れないように、新しいアイデア、新しい道具、新しい体験は、日々の生活や自分の人生をより良く、より便利に、より楽しくしてくれる。仕事でも、趣味や遊びでも、「こういうふうになったら面白いのに」「こうしたらもっと楽になるはず」などと新しい工夫を考えるのは、誰にとってもワクワクする時間ではないかと思う。

私は研究者として、それを仕事にしてきた。これまで世の中に存在しなかった新しいものを生み出すのは、じつにエキサイティングで楽しいことだ。

しかし、必ずしも最初から「世の中にはこういう問題があるから解決しなければ」といった使命感に衝き動かされて考えているわけではない。

たとえば私が発明したスマートスキンやマルチタッチの研究、人間拡張のアイデアについて、その発想はどこから得るのかとよく聞かれるが、アイデアの源泉は、いつも「自分」だ。誰に頼まれたわけでもなく、むりやり絞り出したわけでもなく、自分の中から勝手に生まれてくるのだ。そう、それは「妄想」である。妄想から始まるのだ。

我々は、現在の延長で物を考えがちである。妄想は、今あるものを飛び越えて生まれるものであり、だからこそ「新しい」。いや、**何かを妄想しているとき、最初からそれが新しい発想だとは自分でもわかっていないかもしれないのだ。**むしろ「なんでこうなっていないんだろう」「こっちのほうが自然じゃないだろうか」と漠然と思っているだけで通り過ぎてしまう場合も多い。だから、**妄想によって「新しいことを生み出す」には、思考のフレームを意識して外したり、新しいアイデアを形にし、伝えたりするためのちょっとしたコツが必要だ。**頭の中の妄想を、手で思考するのだ。

この本では、そういった思考の方法や発想のコツなどを、自分の経験を踏まえながら具体的に紹介する。実際に自分のアイデアをまとめるときやソニーコンピュータサイエンス研究所（ソニーＣＳＬ）での研究、そして東京大学大学院の暦本研の学生たちの指導にも活用しているこれらの方法は、研究職以外のビジネスパーソンにも大いに参考になるはずだ。

では、妄想から始めよう。

妄想する頭　思考する手　目次

装丁　水戸部 功＋北村陽香
図版　井上 篤
　　　北村陽香
写真提供　著者
　　　　　株式会社 宣弘社
　　　　　アルケリス株式会社
　　　　　ゲッティ・イメージズ
編集協力　岡田仁志
プロデュース　岩佐文夫

序章

妄想とは何か

スマホ登場を予測せずに開発したスマートスキン

これまで自分が研究者として何件の特許を取ってきたのか、ちゃんと数えたことがないのでよくわからない。少なくとも一〇〇件を超えているのはたしかだ。

その発明の中でも、世間でいちばんよく知られているのは「スマートスキン」というマルチタッチインターフェースだろう。

名前を聞いただけではピンと来ないかもしれないが、スマートフォンを持っている人なら、この技術は誰でも毎日のように使っているはずだ。ピンチング（画面の上で複数の指を広げたり狭めたりする操作）によって写真やテキストなどの拡大・縮小ができるあの技術だ。全世界で、億単位の人々が使っている。

それが初めて商品化されて世に出たのは、二〇〇七年。アップルが発売した初代ｉＰｈｏｎｅに、その機能が搭載されていた。今では、ｉＰｈｏｎｅだけでなく、あらゆるスマートフォンに同様の技術が用いられている。

そもそも私がスマートスキンを発明して、その論文を書いたとき、世の中にはまだスマートフォンは存在しなかった。ＰＤＡと呼ぶ液晶画面つきのモバイルデバイスや、スタイラスペンで操作するタブレットはあったが、マルチタッチのような操作はまったく使われていなかった。スマートスキン論文の〆切は、二〇〇一年の九月二〇日。ちょうど執筆作業の追い込みで大変だったときに、ニューヨークであの同時多発テロが起きて大騒ぎになったことをよく覚えている。

当時は、まだ携帯電話にカメラが搭載されて間もない時期だった。京セラがカメラ付きＰＨＳを発売したのが一九九九年。さらにシャープが初の内蔵型カメラ付き携帯電話を発売したのは、翌二〇〇〇年一一月だ。当初は「電話にカメラなんか必要ないだろう」などと笑う人もいたが、翌二〇〇一年の夏に「写メ」（写真付きメール）なる言葉が生まれ、「電話で写真を撮って送る」のが生活習慣として根づいていった。

あのころに、今のスマートフォンのようなものを想像した人はほとんどいなかっただろう。私自身もそうだ。

すでにマルチタッチがｉＰｈｏｎｅなどに使われている現在から振り返れば、私が二〇〇一年の段階で「数年後には指先で操作する小さなパソコンみたいな携帯デバイスが登場するにちがいない」と予測していたようにも見えるかもしれない。でも、そうではない。今みんなが使っているスマートフォンやタブレットのためにスマートスキンを開発したわけではなかった。とくに課題のないところから、誰に頼まれたわけでもなく、スマートスキンを開発した。それはなぜか。いったい何のためにそれを開発したのか？

首をひねりたくなる人もいるだろう。技術開発は、まず何か具体的な課題があって、それを解決するためにやるものだと考えるのがふつうだからだ。

たとえば、「もっと楽に効率よく農作業を行なう」という課題に対して、自動の田植機や稲刈り機が開発される。そんなふうに、解決すべき「課題」から多くのイノベーションが生まれることは実際多い。

でも私は、何にどう使うかは、あまり具体的にイメージできていなかった。しかし、指先でコンピュータの画面を拡大できたら、そのほうがマウスよりも自然だろうという感覚は持っていた。いや、現実世界ではものを一本指で操作することのほうがめずらしいのに、なぜマウスでは常に一本指ですべてを操作するような「不自然さ」を当たり前のように受け入れているのだろうか。そういう自分自身の素朴な疑問から始まったのが、スマートスキンの開発だったのである。

真面目と非真面目

スマートスキンの開発についての詳しい経緯は、また後ほど話すことにする。ここで強調しておきたいのは、**「イノベーションのスタート地点には、必ずしも解決すべき課題があるとはかぎらない」**ということだ。

たとえば、多くの企業などが取り組んでいるＳＤＧｓ（エスディージーズ）は、「課題解決型イノベーション」の典型だろう。正式には「持続可能な開発目標（Sustainable Development Goals）」。国連が、二〇一五年に掲げた。二〇三〇年までの長期的な開発の指針として

そこでは、「貧困をなくそう」「飢餓をゼロに」「すべての人に健康と福祉を」「気候変動に具体的な対策を」……といった一七の目標と、それをより具体化した一六九のターゲットを設定している。

誰もが必要だと考える課題の解決を目指すＳＤＧｓは、いわば「真面目」な技術開発だ。うまくいけば、間違いなく社会の役に立つ。何の役に立つのかよくわからない状態で開発を始めた私のスマートスキンとは大違いである。

SDGsにかぎらず、企業の研究開発部門で行なわれる技術開発の多くは、こういう「真面目」なものだろう。自動車メーカーなら、「もっと燃費のよい車を」とか「安全性能を向上させよう」といった課題が会社から与えられ、その解決を目指している。

でも、技術開発の道筋はそういう「真面目路線」ばかりではない。誰も課題を感じていないのに、世の中の大きなニーズを引き出して大ヒットする製品もある。いささか古い例になるが、その典型はソニーのウォークマンだろう。

ウォークマンが開発されたのは私がソニーに入る前のことだが、あれはまさしく社内の「真面目」な路線とは違うところから生まれたものだ。実際、社内でも「録音機能のないテープレコーダーなんて売れるわけがない」と反対する声があったらしい（録音機能がなければ「レコーダー」でさえないのだが）。それでも、そういった当時の常識にこだわらずに、思いつきを突き通して形にしてみたら、画期的な商品として世界的な大ヒットとなった。

ちょうどそのウォークマンが誕生したころ、「非真面目」という言葉が流行ったことがある。ロボット工学の先駆的な研究者として（そしてロボットコンテストの創始者としても）知られる森政弘さん（東京工業大学名誉教授）の著書『「非まじめ」のすすめ』（講談社文庫）から生まれた言葉だ。ウォークマンは、まさに「非真面目」なイノベーションだったような気がする。

「非真面目」は「不真面目」とは違う。私が考える違いはこうだ。

たとえば学校で教科書をしっかり勉強し、先生が与える課題をきちんとこなす生き方。これが「真面目」なのは言うまでもない。一方、教科書を落書きで埋めたり、先生に反発して授業をサボったりするのは何かというと、これは単なる「不真面目」だ。

不真面目は、いわば「真面目度」を計る価値軸の上に乗っている。そこでプラス点が多ければ真面目度が高く、マイナス点が多ければ不真面目度が高い。学校、教科書、先生といった真面目路線への「アンチ」として成り立つものだから、不真面目は真面目に依存しているといってもいいだろう。逆らっているようでも元の価値軸の枠内にいるわけだ。

しかし「非真面目」は、その「真面目度」を計る価値軸の上に乗っていない。非真面目な人は、そもそも真面目路線が眼中にない点で、不真面目な人とは違う。学校の授業や先生の命令があろうがなかろうが関係なく、自分がやりたいことに集中しているのが非真面目な態度だ。

それこそウォークマンを開発した人たちも、べつに社会の流れや会社の方針に反発するために勝手なことをやったわけではないだろう。それまでの本流とは別の価値軸の上で「これはイケるんじゃない?」という話になったのだと思う。

想像と妄想

私は小学生のころ、大阪万博のIBM館で初めてコンピュータというものを触って体験し「面白い!」と思い、それ以来、自分でテキストなどを読んでプログラミングを勉強した。いや、「勉強」という意識は少しもない。ただの趣味であり、遊びである。テキストといっても当時は子供向けのものなどまったくないので、NHKで放送されていた「コンピューター講座」のテキストを取り寄せていたりした。

コンピュータの実物は持っていないから、プログラミングといっても、紙に鉛筆で手書きするしかない。NHKのテキストには、原寸大のキーボードを印刷した折り込み付録がついていた。もちろん、指で押しても何も表示されない。コンピュータの実機に触れられる機会がないので、それを机の上に広げてタイピングの練習（？）をしろということだったのだろう。そんな時代だ。

学校のテストが早く終わって時間が余ると、答案用紙の裏にＦＯＲＴＲＡＮプログラムのコードを書いたりしていた。先生は何のことだかさっぱりわからなかったと思う。でも、叱られたことはない。「不真面目」だとは思われなかったからだろう。

今はそれを仕事にしているが、私自身の感覚は当時とほとんど同じだ。趣味と仕事の正確な区別はつけられない。与えられた課題に義務として取り組むのではなく、自分が楽しいからやっている。もちろん楽しくても楽なだけとはかぎらないが、ウォークマンの開発者も、きっとそうだったにちがいない。

真面目なイノベーションが「やるべきことをやる」ものだとしたら、「やりたいことをやる」のが非真面目なイノベーションだ。ウォークマンが誕生した時代とくらべると、今はどちらかというと「真面目」路線の技術開発が注目されているけれど、これはどちらもないといけない。なぜなら、未来に何が起こるかをすべて予測することはできないからだ。

たとえばＳＤＧｓの掲げる一七の課題はたしかに正しいけれど（ＳＤＧｓの意義には自分も賛同している）、これから人類が直面する問題がそれだけとはかぎらない。未来に何が起こるかは予測不能だ。

実際、本書を執筆している間にも新型コロナウイルスの感染が世界的課題となり、外出や移動が難しい状況になってしまった。そうなるとテレプレゼンスやVR（バーチャル・リアリティ）などによる遠隔共同作業が急に注目されるようになった。しかしVRの研究をしていた人が、感染症対策という課題意識を持っていたかというとそうでもないと思う。バーチャルな世界に入り込める体験を純粋に面白いと思って研究していたのではないだろうか。

現時点では誰もが「正しい」と認める目標が、数年後には意味をなさなくなる可能性もあるし、新しい課題が出現する可能性も常にある。だから、今の時点で「正しい」とわかっている課題の解決だけを目指せばよいというものではない。

また、私がスマートスキンを開発した二〇〇一年の時点で、二〇〇七年のiPhone誕生を予測した人はいなかった。わずか六年後の未来さえ、予測不能だったわけだ。

未来の予測ができなければ、当然、「どんな課題を解決すべきか」もわからない。「やるべきこと」が見えないのだから、**課題解決型の真面目なやり方だけでは、予測不**

能な未来に対応するイノベーションを起こすことはできないだろう。

逆に、自分の「面白い」から始まる非真面目な行動原理は、最初は何の役に立つかわからなくても、それが役に立つような未来を切り拓いてしまうことがある。ある発明によって、誰も予想もしなかった楽しさや利便性が生まれるケースは少なくない。

これは、私のやっているような技術開発だけの話ではないと思う。どんな仕事でも、常に新しいアイデアは求められるだろう。

そんなときは、真面目に課題を解決することだけではなく、**自分の「やりたいこと」は何なのかを非真面目に考えてみるとよいのではないだろうか。**そこから生まれたアイデアが新しい未来をつくる可能性は十分にある。

未来を予測して課題を設定し、「これからの世の中はこうなるはずだ、そしてこういう課題があるはずだ」と想像するところから始まるのが、課題解決型のイノベーションだ。しかしそれだけでは、想像の範囲内での未来しかつくることはできないかもしれない。**想像を超える未来をつくるために必要なのは、それぞれの個人が抱く「妄想」だと私は思っている。**

広辞苑を引くと、妄想とは「みだりなおもい。正しくない想念」「根拠のない主観的な想像や信念」などと書いてある。後者は病的な意味だ。いずれにしろ、ふつうはあまりポジティブなニュアンスでは使わない。

しかし私には、この言葉がしっくりとくる。誰も考えなかった新しい技術は、往々にして、人から「はあ?」と呆（あき）れられるような思いつきから生まれるものだ。ちょっとクレイジーな印象を与えることもあるかもしれない。

でも、他人にはすぐには理解されず、そのため広く共有もされない妄想であっても、本人はそこに何らかのリアリティを感じている。つまり、乗っている価値軸が違うということだ。本人にとっては自然なことであって、奇をてらって「不真面目」におかしなことを言っているわけではない。**自分の価値軸の上で「面白い」と感じたこ**とを、**素直かつ真剣に考えている。**

その「妄想＝やりたいこと」を実現するには、いろいろな工夫や戦略が必要だ。ただ「やりたい、やりたい」と言うだけでは人に伝わらないし、そもそも妄想の段階では自分が何をやりたいのかよくわかっていないことも多い。

だからこの本では、自分の経験に基づいて、妄想を形にしていくための考え方やノウハウを語っていく。でも、自分という価値軸がなければ、そもそも何が楽しいのかもわからない。だから、まずは「妄想」を大事にすることから始める必要があるのだ。

第１章

妄想から始まる

1　笑わないと開かない冷蔵庫

私の専門分野は、「ヒューマン・インターフェース」もしくは「ヒューマン・コンピュータ・インタラクション」などと呼ばれている。人間と機械のより良いつながり方を考え、実現するのがテーマだ。

たとえばスマートスキンのようなマルチタッチ技術は、マウスに代わる「人間とコンピュータ」の新しいインターフェースだ。また、私はいわゆるVR（バーチャル・リアリティ）やAR（オーグメンテッド・リアリティ）の研究開発もしてきたが、これも、まさに人間とコンピュータのインタラクション（相互作用）に関わるものと言えるだろう。

コンピュータを相手にするそれらの技術とくらべると、たとえば、以前に開発した情報家電「ハピネスカウンター」は、扱う対象がずいぶん違うように感じられるかもしれない。これは、二〇一二年度のグッドデザイン賞ベスト100を受賞した「笑わないと開かない冷蔵庫」だ。コンピュータも冷蔵庫も「マシン」であることに変わりはないし、人間がそれを使う以上、そこには「ヒューマン・インターフェース」や

「ヒューマン・コンピュータ・インタラクション」を見直す余地がある。

　この奇妙な冷蔵庫のアイデアは、学生さんからある研究相談を受けたことから始まった。「お年寄りが薬を飲むのを忘れないよう、飲むべきときに自動的に蓋（ふた）の開く薬箱を作りたい」という相談だ。悪くないテーマである。単なる「箱の蓋」でも、それが開いたり閉じたりするのは人間とのインターフェースだし、それはテクノロジーの力でより良いものにできるはずだ。だから、それはそれで研究する意義があるだろうと思っ

笑わないと開かない冷蔵庫「ハピネスカウンター」

た。物忘れしやすい高齢者に役立ちそうな、「課題解決型」の真面目な技術開発だ。

でも「非真面目」な発想から、私はひとつの妄想を抱いた。何もしなくても自動的に開く箱があるなら、逆に「何かをしないと開かない箱の蓋」があってもいいのではないか、と。

人間が何かしないと開かない蓋。これはふつうに考えて、ひどく不便である。

もちろん、誰にでも勝手に開けられては困る金庫のように、鍵や暗証番号が必要な箱はある。でも、単に物をしまっておくだけの箱の場合、中身はすぐに取り出したい。なかなか蓋が開かない箱なんて、面倒臭いだけだ。薬箱にそんな蓋をつけたら、利用者にとっては大迷惑である。でも、たとえば「笑顔にならないと開かないジュエリーボックス」があったらどうだろう。蓋が開いてジュエリーを取り出したときは必ずニッコリしているはずなので、それをつけて鏡を見たときの印象が良くなるかもしれない。

そんなことを学生さんといろいろ議論した挙げ句、出てきたアイデアが「笑わないと開かない冷蔵庫」だった。

心理学の世界には、「人は幸福だから笑うのではなく、笑うから幸福なのだ」「悲しいから泣くのではなく、泣くから悲しくなる」という表情フィードバック仮説と呼ばれる説がある。感情に合わせて表情がつくられるのではなく、まず表情が先にあって、それが心にフィードバックされることで感情が生まれるというわけだ。

こういう現象はほかにもいろいろあり、身体心理学（ソマティックサイコロジー）という研究分野になっている。だから、笑顔のような表情を誘導する家電があったら、利用者にポジティブな感情を持たせることができるかもしれない。

しかし、そういう知見は、じつは後から勉強してわかったことで、アイデアを思いついた瞬間は、笑顔というチャレンジを生活に組み込むことで、その人が幸福な気分になることもあるのではという直感だった。とはいえ、笑わないと絶対に開かないのでは不便すぎる。だから、無表情だとかなり力を入れないと開かず、笑顔だと簡単に開くようなシステムを開発した。ふつうの冷蔵庫に求められる利便性とは別の価値が、そこにはあると思っている。

2　新しくて面白いものは「ふつう」ではない

このあたりが、「妄想」から始まる技術開発の面白いところだと思う。当初は、「なかなか開かない箱の蓋があったらどうだろう」という漠然とした妄想が、身体心理学につながり、利用者の精神を向上させる技術として具現化できるとは思っていなかった。ただ何となく「面白そうだな」と感じただけだ。

そんな奇妙な妄想が面白そうだと思えたのは、そのアイデアが「ふつう」ではなかったからだろう。「ふつう」に考えたら、そんな箱はただ不便なだけで何の意味もない。でも、「ふつう」の考えからは、あまり面白いものが生まれないのもたしかだ。

人は「ふつう」という言葉を、あまり悪い意味では使わない。たとえば非常識な行動で他人に迷惑をかけた人を責めるときは、「ふつう、そんなことしないだろう」などと言う。

でも、たとえば「あのレストラン、ふつうに美味(おい)しかったよ」などと言う場合はどうだろうか。そんなに褒めてもいないが、美味しかったと言うのだから貶(けな)してはいない。ビックリするほどすごいとも思わなかったけれど、何か問題を感じるほど悪いわけではない。こういうときに人はそんな言い方をする。

研究者仲間だと、「ふつう」はあまり良い意味では使わない。「あの研究発表、どうだった?」「うーん、まあふつうかな?」のように。この場合は何か面白かったわけではなく、予想がつく範囲内での発表だったということだ。

驚きがないということは、それが自分にとって「新しい体験」ではなかったということだろう。それまで味わったことのない体験をした人は、それを「ふつう」だとは感じない。

だから、「ふつう」のアイデアはあまり面白くないし、そこから新しいものはなかなか生まれない。それが、私が妄想を大事にする理由だ。「ふつう」ではないからこそ、それは新しいアイデアにつながる可能性がある。より正確に言うと、**今の常識からすると「ふつう」ではないが、もしかすると未来では本当に「ふつう」になるアイデア**、ということかもしれない。

妄想には多少なりとも非常識な面があるので、すぐに「それいいね！」という同意は得られない。利便性に背を向けた「なかなか開かない蓋」という妄想もまさにそうだった。すぐには理解されないし、考えた本人も「それが何になるんだ？」と思ったものだ。

しかしやってみると意外に面白いし、応用範囲も広かった。難関の国際学会に論文が採録され、前述のようにグッドデザイン賞を受賞したりもした[※1]。冷蔵庫だけにとどまらず、今後は「スマイルウェアな家電」という商品カテゴリーさえ創出するかもしれない。妄想には、そういうパワーがある。

3 アポロ計画を実現させたヤバい妄想

人類の歴史を振り返れば、もっとパワフルな妄想から生まれたイノベーションはたくさんある。その中でも特筆されるのは、一九六九年に人類初の月面着陸を実現したアメリカのアポロ計画だろう。

月に行くことで、何か社会的な課題が解決するわけではない。「太陽系の成り立ちを知りたい」といった科学的な課題や、東西冷戦下におけるソ連との競争という政治的な課題の解決には貢献したかもしれないけれど、月へ行くための技術開発そのものは「月に行きたい」という目標を実現するだけのものだ。

もちろん、アポロ計画からスピンオフした夥(おびただ)しい数の新しいテクノロジーは、今でも社会の役に立っている。でも、それはあくまで副産物だ。もともとは月に行くために開発されたのであって、それ以外の課題のために考えられたわけではない。

では、アポロ計画は何から始まったのか。そこにあったのは、「そこに月があるから、行ってみたい」という素朴な願望だ。いわば、人類の「夢」みたいなものだろう。まさに「妄想」である。

そして、アポロ計画を技術面で支えたのは、そんな妄想を少年時代から抱いていた人物だった。ドイツ生まれのロケット研究者、ヴェルナー・フォン・ブラウンだ。

彼の経歴は、端的にいってかなりヤバい。フォン・ブラウンは、月旅行という子供のころからの自分の妄想を実現するために、手段を選ばなかった。ロケットを作りたいがためにナチスに取り入り、第二次大戦末期に連合国を襲った「Ｖ２」という弾道ミサイルを開発したのが、フォン・ブラウンだ。

そのＶ２ロケットの開発中、彼は自分の妄想を隠そうとしなかった。地球の軌道に乗せるロケットや月に行くためのロケットを作るアイデアをあちこちで語っていたようだ。それがゲシュタポの逆鱗(げきりん)に触れて、フォン・ブラウンは国家反逆罪で逮捕されてしまう。国家のための兵器開発

「月に行きたい」という妄想を実現したフォン・ブラウン

に集中すべきときに、個人的な妄想ばかり語っていたのだ。

ロケット開発の責任者だったドルンベルガーという陸軍大将が「この人がいないとV2は完成しないから」と説得しても、ゲシュタポはフォン・ブラウンを釈放しない。最後にはとうとうヒトラーが出てきて「まあまあ」と（言ったかどうかはわからないけれど）ゲシュタポをとりなしたおかげで、ようやく釈放された。あのヒトラーにとりなしてもらうとは、いろいろな意味で相当な人物であることはたしかだ。そこまで信頼されるほどヒトラーに取り入り、強力な兵器開発に協力してでも、フォン・ブラウンは月に近づきたかった。

そのフォン・ブラウンがアメリカに亡命し、NASAが創設したマーシャル宇宙飛行センターの初代所長として開発したのが、アポロ11号で宇宙飛行士を月に運んだサターンロケットだ。フォン・ブラウンの妄想なくして、アポロ計画の成功はあり得なかった。

そして、「月に行きたい」というフォン・ブラウンの妄想は、スピンオフという形で多くのイノベーションにつながった。誰も予想していなかった「役に立つ技術」がたくさん生まれた。妄想から何が生まれるかは、やってみなければわからないのだ。

4　妄想の先に何があるのか

では、たとえばこんな妄想はどうだろうか。

ヒューマン・インターフェースの研究分野には、「ブレイン・マシン・インターフェース（BMI）」という概念がある。文字どおり、脳と機械をつなぐ技術のことだ。

たとえばコンピュータなら、今はマウスやマルチタッチなど人間が手を使って機械を操作している。しかし脳とコンピュータをつなげれば、人間が頭で考えただけで機械が脳波の変化を検出し、文字の入力や画面に拡大・縮小といった操作が自在にできるようになるだろう。病気や事故で体が動

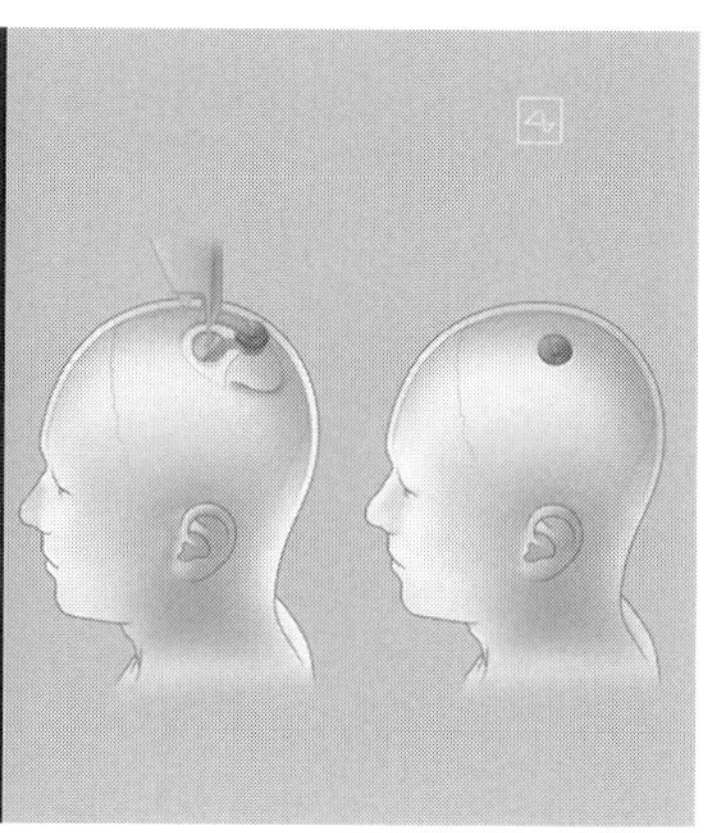
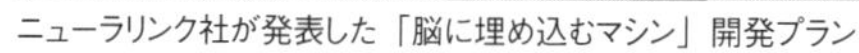
ニューラリンク社が発表した「脳に埋め込むマシン」開発プラン　©Neuralink

かなくなった人が、コンピュータ画面上でマウスポインタを使用したり、文字を入力したりする技術は、すでに実現している。

また、アメリカのテスラの創業者として有名なイーロン・マスクは、二〇一九年七月に、ニューラリンクという会社で、脳に埋め込むマシンの開発を目指すことを明らかにした。その翌月には、フェイスブック社が同じような技術への参入を発表している。すぐに具体的な成果が出るかどうかはわからないけれど、遅かれ早かれ、脳に電極を埋め込んでコンピュータとつなぐ時代が訪れるのはほぼ間違いない。

もちろん、そこには倫理的な問題や医学的な課題などのハードルはある。でも、すでに実用化に向けた動きが始まっているのだから、それについて語るのは、もはや「妄想」のレベルではない。


私の妄想は、その先にある世界に関することだ。

脳とコンピュータがつながれば、脳はインターネットとつながることになる。インターネットはコンピュータのネットワークなので、脳と脳がつながってネットワークを形成することになるだろう。両端が高い学習能力を持つ脳なので、もしかするとネットワーク上を流れている情報の意味が解析できなくても、何かが伝わってしまうか

鳥が群体として動くように、人も脳と脳がつながったら、ひとりの力を超える「超個体」になるかもしれない

もしれない。

それが何を意味しているのかは、私にもまだわからない。とりあえず、人間同士が脳と脳を直接つなげられるようになると、互いに影響し合ってふらふらしてしまうだけかもしれないが、お互いの考えていることが黙っていても（あるいは遠く離れていても）わかるようになるかもしれないし、他人の脳をコントロールして思いのままに行動させられるようになるかもしれない。怖い話だが、そういう可能性は十分に考えられる。

では、今のインターネットのように、地球上の人類の脳がみんなつながってネットワークを作ったら、いったいどんなことが起こるのか。

一人ひとりの人間が別々に頭を使っている今とは比較にならないほどの凄(すさ)まじい知能が出現するかもしれない。そのときはもう、現在のような「個人」の概念が消え去って、人類全体が一体化した「超個体」として振る舞っているかもしれない。

たとえば蟻には、そういう側面がある。個体は個体として存在するけれど、巣の中には子を産むだけの蟻や子を産まずに働くだけの蟻もいて、完全に分業体制になっている。蟻は一匹では生きていけない。個体同士がフェロモンでコミュニケーションを取りながら、巣全体が「超個体」として生き残ろうとするシステムだ。人類もそうなるのだろうか？

あるいは、脳がそんな状態に耐えることができず、ケーブルが焼き切れるようにネットワークが崩壊してしまうのかもしれない。そういえば、昔読んだＳＦ小説に「テレパシーがハウリングを起こして大混乱に陥る」という設定があった。脳と脳をつなぐネットワークでも、人類全体でハウリングのような現象が起きるかもしれない。

……と、こんなふうにいつまでも話し続けていたら「この人は大丈夫なのか？」と心配されてしまうのが、妄想の妄想らしいところだろう。

妄想はそれが良いことなのか悪いことなのかも判然としない。その先にあるのがユートピアなのかディストピアなのか、天国なのか地獄なのかもわからないけれど、それでもどうしても考えずにはいられない——それが妄想というものだ。

それを抱いた時点では、「世の中の役に立つかどうか」という価値判断はない。価値があるかどうかを計る価値軸とは別のところから生まれるのが、妄想なのだ。

5　高名で年配の科学者ができないと言うときはたいてい間違い

役に立つかどうかという価値判断だけでなく、「実現できるかどうか」という判断も妄想とは無縁だ。まさにＳＦみたいな話なのだから当たり前だが、脳と脳をつないで直接コミュニケーションを取るための技術など、今の時点ではまだリアリティがない。でも、私はその妄想がなぜか気になっていて、いつも頭の片隅に置いている。

技術開発にかぎらず、何か新しい企画やアイデアを思いついたときに、その実現可能性の低さを考えて「でも、こんなの無理だよな」と諦めてしまうことはよくあるだろう。でも、それでは妄想を活かすことはできない。ほとんどの妄想は、「ふつう」に考えると実現困難だからだ。したがって「実現可能かどうか」という判断を優先させていたら、「妄想から始める」どころか、妄想を抱いた瞬間に終わってしまう。

自分で「無理だ」と諦めなくても、上司や教員に「そんなものできるわけないだろう」と否定されることは多い。他人の感想は、ネガティブになりがちなものだ。SNSでは誰にでも気軽に「いいね」を押す人でも、自分が多少なりとも責任を負うことになる問題では、まずリスクを考えて消極的な姿勢になる。

しかし、妄想の段階でそんなことを気にする必要はないだろう。かつてSF作家のアーサー・C・クラークはこんなことを言った。

「高名で年配の科学者ができると言うときは正しい。でもできないと言うときはたいてい間違い」[※2]

長い経験を積んできた学者ほど新奇なアイデアを否定的に受け止め、「そんなことはできるわけがない」と言いたがる傾向はたしかにあるだろう。でも、できるかどうかはやってみなければわからない。「私も昔それを試したことがあるが、うまくいかなかったよ」と言われるかもしれないが、昔と今では背景にある技術の前提条件が違っているかもしれない。

月旅行であれ、脳と脳をつなぐネットワークであれ、それが技術的に難しいことは妄想を抱いた本人もよくわかっている。その道の専門家になればなるほどそうだ。子供が無邪気に「月に行きたい！」と言うのと、ロケット技術の専門家がそれを妄想するのとでは、内心で感じているハードルの高さが天と地ほど違う。

だから、プロが妄想を抱くのはなかなか難しい。どうしても、リアリティのある堅実な道を選びたくなってしまう。

しかし、最初にアイデアを考える段階で妄想を否定してしまったのでは、自分のやりたい面白い研究はできない。妄想から始めるには、プロ意識を超えることも必要だ。

6　素人のように発想し、玄人のように実行する

そこで、私の好きな言葉をひとつ紹介しよう。ロボット工学やコンピュータビジョンの世界的な権威として知られるカーネギーメロン大学の金出武雄（かなでたけお）さんの言葉だ。そのまま著書のタイトルにもなっている。※3
「素人のように発想し、玄人として実行する」
言わんとするところは、説明不要だろう。発想そのものは素人でもわかるようにシンプルに、しかしそれを解決するにはプロにしかできないことをしようという、きわ

めて簡潔にエンジニアの心得を表現した名言だと思う。金出さんの発明は山ほどあるが、たしかに「こんなのあったらいいな」という素人でもわかる願望から生まれたように見えるものが多い。

たとえば近年では、自動車の「スマートヘッドライト」がそうだ[※4]。

夜道で雨や雪が降ると、ヘッドライトの光が反射して視界が遮られ、運転がしにくい。金出さんは、「この雨を消せないか」と考えた。降っている雨を消したいというのだから、素人どころか子供のような発想（というか願望）だ。

しかしそれを実現するには、当たり前だが高度な専門性が求められる。光を反射させなければ見かけ上は雨粒が「消える」わけだが、そのためにはヘッドライトの光が雨粒を避けて飛ぶようにしなければならない。ここから先は、むしろ素人のほうが「そんなの無理でしょ」と言いたくなるだろう。

金出さんたちの研究グループは、それを実現した。雨粒をセンシングして、そこだけ光が消えるヘッドライトを作ったのだ。自動車の前方を高速カメラで撮影し、落ちてくる雨粒の位置と軌跡を予測するのがこの技術のポイントだ。

ちなみに金出さんは、コンピュータの顔認識システムに関する論文を世界で最初に書いた人物だ。「ロボットに目を授けた男」とも呼ばれている。それを聞けば、このスマートヘッドライトに最先端の高度なテクノロジーが使われたであろうことは素人にも想像がつくだろう。

金出さんの研究チームは、一九九五年という早い段階で、すでにコンピュータによる自動運転を試みていた。カメラと三次元センサーで周囲の状況を把握し、障害物を検出して、危険を察知すれば停止する機能を備えていたという。今では実用化が現実のものになりつつあるが、ご本人へのインタビュー記事によると、当時は他の研究者から「こんな研究に、何の日常性が、何の将来性があるのですか?」と聞かれたそうだ。[※5]やはり、初期の時点では人に理解されにくい「妄想」だったのだろう。

7　「天使度」と「悪魔度」のバランス

どんな仕事でも、アイデアを形にするには「玄人」としての専門性や経験が必要だ。だからプロフェッショナルな仕事をするには、それを身につけるための勉強や訓練が欠かせない。ところがそれを重ねれば重ねるほど「素人感覚」が薄まり、アイデアの可能性を狭めてしまう。金出さんの言葉は、多くの職業に通じるものだ。

じつは金出さんと似たような言葉を、映画界の巨匠・黒澤明(くろさわあきら)監督が残している。

映画も技術開発と同様、「素人」のような豊かな発想力が求められると同時に、そのアイデアを形にするには多様な専門性を持つ「玄人」の力が欠かせない。黒澤監督は、それをこう表現した。

「悪魔のように細心に！　天使のように大胆に！」[※6]

天使が素人で悪魔が玄人というわけではないと思うが、大胆さと細心さの両方が必要だという見方は、金出さんの言葉ともつながるような気がする。

そして、大胆さが求められるのは、どちらかというと「発想」の部分だ。一方、それを「実行」するには細心さが欠かせない。天使のように考えて、悪魔のように実行する。それが黒澤監督の言いたかったことだと思う。

それを逆にすると、往々にして「大胆」は「粗雑」、「細心」は「小心」になってしまう。「小心な発想」は「そんなの無理だろう」という消極性を生むから、大きな妄想は育たない。一方、「粗雑に実行」したのでは何も具体化せず失敗に終わるだろう。

私の研究室では、この黒澤監督の言葉を踏まえて、**研究開発のテーマを「天使度」**

と「悪魔度」の二つの座標軸で評価している。天使度は発想の大胆さを表わす尺度だから、金出さんの言う「素人」的なものも含まれるし、人をポカンとさせるようなアイデアもこれの度合いが高い。

一方の悪魔度は、黒澤監督の言う「細心さ」に加えて技術レベルの高さも含んでいる。実現をするのに必要な技術レベルが高いアイデアほど、悪魔度が高い。だから、より玄人の専門性が求められる。もちろん、難しい課題ほど実現させるには「細心」な仕事が必要になるから、黒澤監督の言葉とも通じている。

研究者はそれぞれ自分の専門分野をよく勉強しているから、課題の「悪魔度」を上げるのはわりと得意だ。どんな技術にも「伸びしろ」はあるから、グレードアップやバージョンアップを目指せば「より難度の高い（悪魔度アップな）課題」はいくらでも見つかる。

たとえばテレビはブラウン管の時代から液晶やプラズマなどの薄型ディスプレイになり、さらに４Ｋ、８Ｋと画質を向上させてきた。自動車もそうだ。スピードや燃費などのスペックはどんどん向上し、乗り心地の良さが追求され、環境への配慮から電気自動車が登場し、こんどは自動運転に向かっている。どちらも、技術開発の「悪魔度」はどんどん高まってきたわけだ。

でも、その「天使度」は発明された当時から変わっていない。というより、「天使のような大胆さ」があったのは最初だけだ。「家にいながら映画などが楽しめる」「馬に引かれなくても移動できる」といったアイデアは、最初は妄想だっただろうが、今はただの現実だ。

スペックを上げる技術競争は、ほぼ「悪魔度」オンリーだ。エンジニアは、そういう悪魔度を高めることに生き甲斐を感じる傾向が強い。もちろん、その意欲は大切だが、それを追求しているうちに、天使のような大胆さや素人の発想を忘れてしまうことも多い。

すると、ひたすら難度の高い技術を実現することだけで満足するようになる。悪魔度はやたら高く、技術度は高いけれど、「面白さが伝わらない」という研究にもなりかねない。「それで結局のところ何ができるようになったんですか?」「誰のための技術です?」と聞きたくなる研究論文はよくある。そこに天使のごとくの面白さはない。

だから、研究テーマの良し悪しを評価するときは、「天使度」と「悪魔度」のバランスが大切だ。もちろん「天使度」だけ高くてもいけないけれど、「悪魔度」しかな

「天使度」と「悪魔度」で考える

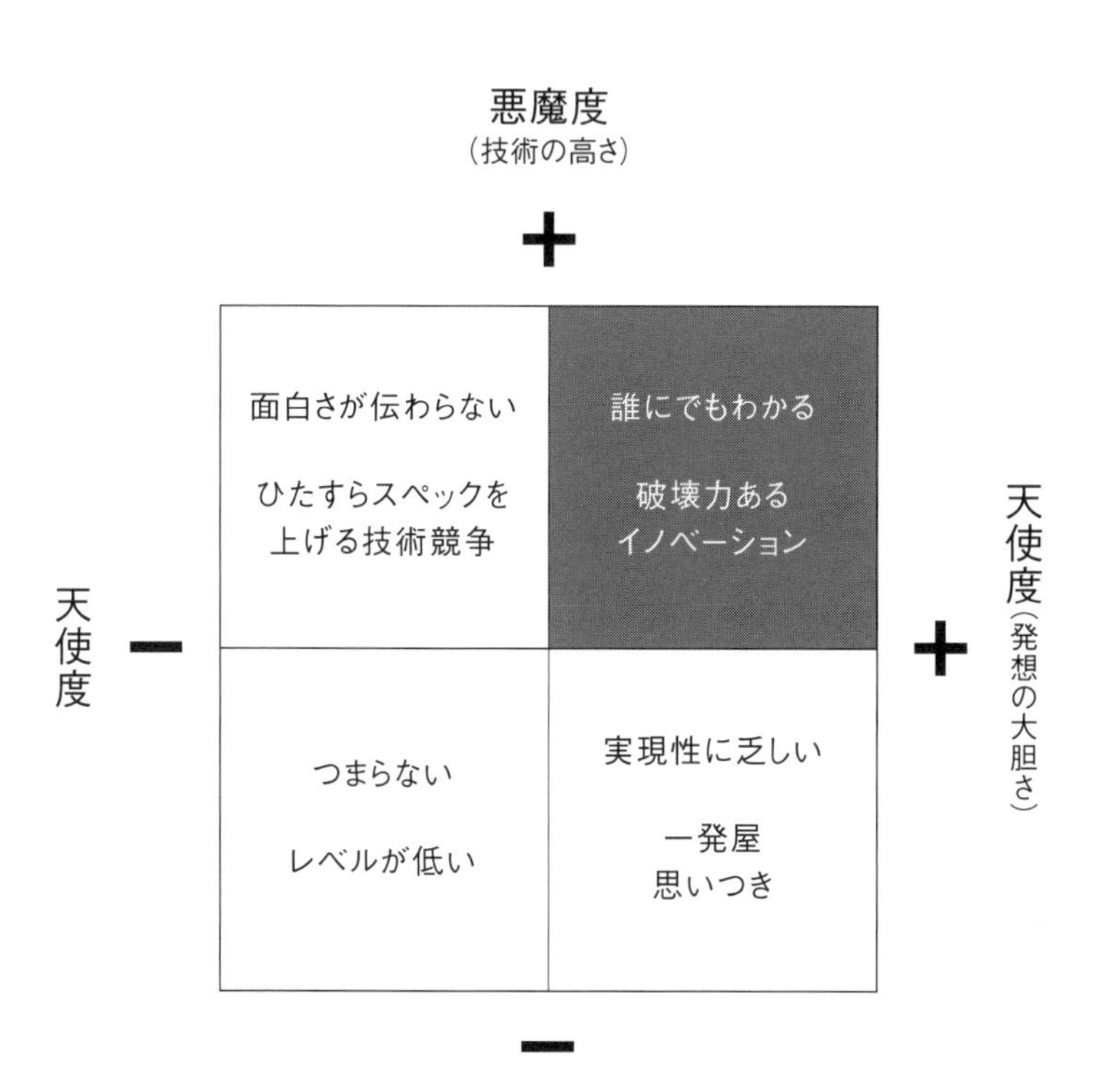

いと「技術のための技術」になってしまい、人をビックリさせるような魅力ある研究にはならない。これはエンジニアだけの問題ではないだろう。サービスやものづくりの現場でもよくある話ではないだろうか。

天使のような大胆さを支えるのが妄想だ。悪魔でさえ「いや、それはちょっと……」と尻込みするようなレベルの妄想を抱き続けられる人間が、破壊力のあるイノベーションを起こすのだと思う。

※1 Hitomi Tsujita, Jun Rekimoto, Smiling makes us happier: enhancing positive mood and communication with smile-encouraging digital appliances (Ubicomp 2011)，２０１２年グッドデザイン賞ベスト１００「ハピネスカウンター」

※2 クラークの第一法則と言われている。ちなみに第三法則が有名な「充分に発達した技術は魔法と区別がつかない」である

※3 金出武雄『独創はひらめかない――「素人発想、玄人実行」の法則』（日本経済新聞出版）

※4　Robert Tamburo, Eriko Nurvitadhi, Abhishek Chugh, Mei Chen, Anthony Rowe, Takeo Kanade and Srinivasa G. Narasimhan, "Programmable Automotive Headlights," European Conference of Computer Vision (ECCV), 2014

※5　『WIRED』日本版 VOL.18　https://wired.jp/2016/09/04/interview-takeo-kanade/

※6　黒澤明『悪魔のように細心に！　天使のように大胆に！』（東宝）（1975）

第2章

言語化は最強の思考ツールである

1 モヤモヤした妄想は「言語化」で整理する

では、自分が抱いた妄想をどうやって形にしていくのか。ここからは、そんな話をしてみよう。

妄想は、人から「これが面白いんじゃない？」などと与えられるものではない。自分の「やりたいこと」だ。ちょっとした思いつきで生まれることもあるから、他人には何が面白いのかよくわからないことも多い。しかし研究や、研究にかぎらずほとんどの仕事は、自分ひとりで進められるものではないから、仲間や世間などに理解できるように伝えることも必要だ。

ところが、妄想レベルのアイデアは他人どころか本人にも、その意味や面白さがはっきりとわかっていないことがしばしばある。モヤモヤしたイメージが頭の中で膨らんでいて、自分では「なんとなく面白そう」と感じているけれど、じつはまとまった形になっていない。

そんな状態で人にアイデアを話しても、お互いに雲をつかむような感じになってしまう。たとえ自分ひとりでやるとしても、モヤモヤしたままでは何も進まない。したがって、妄想を実行に移すには、まずは自分の思考を整理することから始めなければいけない。

では、どのようにモヤモヤした妄想を形にするか？

発想法にはいろいろな技法があるが（後述）、私が大事にしている思考ツールはとてもシンプルに「言語化」だ。言語化すれば一撃でわかる。モヤモヤとした頭の中のア**イデアをとにかく言語化してみることで、そのアイデアの穴が見えてきて、妄想は実現に向かって大きく動き出す。**

アイデアの表現方法としては、絵や図などのビジュアルも有効だが、それを使うのはどちらかというと「ＨＯＷ（どうやるか）」を表わすときだ。

アイデアの原点である「ＷＨＡＴ（何をしたいのか）」や「ＷＨＹ（なぜやりたいのか）」**などを明確にするには、言語化が最強の思考ツールだ。**

2 「やりたいこと＝クレーム」は一行で言い切る

私たち研究者は、自分たちの研究対象のことを「クレーム」という言葉で表わすことがよくある。日本では苦情や抗議を意味するカタカナ語として定着しているけれど、もともと英語の「claim」は「主張」や「請求」といった意味だ。

知的財産関連では、「特許請求の範囲」のことを「クレーム」という。特許を請求するときに「私の発明として主張するのはここです」とその範囲を明確に書いたものだ。私も特許としてこれまで山ほどクレームを書いてきた。それと同じようなニュアンスで、「私はこの研究ではここを主張します」という言明のことをクレームという。

クレームで重要なのは短く言い切れることだ。そして、それが本当かどうかが決着できそうなことだ。たとえば、遺伝子研究や、音声認識について、クレームではこんなふうに言い切る。

「DNAは二重螺旋(らせん)構造をしている」

「口腔内の超音波映像を解析すれば喋っている内容がわかる」

どちらも何を主張しているのかを具体的に言い切っている。そして（少なくともその分野の専門家であれば）それが本当かどうかの決着をつけるための方法も見えてくる。妄想の言語化は、このクレームを書くことから始まる。モヤモヤしているアイデアをひとつのクレームとして表現することで、話が先に進み出す。※1

クレームは「メモ」とは違う。私はふだんから何か思いつくとノートにキーワードやイメージ図などをメモしているが、誰にでもわかるようには書いていないから、モヤモヤしているという点では頭の中の妄想とあまり変わらない。そうではなく、**自分にも他者にもわかるように整理したのがクレームだ。**

しかし、何しろモヤモヤしていることなので、いざ書こうとすると「これもあるし、あれもある」「ああでもないし、こうでもない」とダラダラした長いクレームになりやすい。これも、頭の中でモヤモヤしている状態と同じだ。そういうふうにしかクレームを書けないのは、自分でも何がしたいのかよくわかっていない証拠でもある。

だから、**クレームは一行で書き切るのがベストだ。**頭の中ではモヤモヤと無限に広がってしまいそうなアイデアを、できるだけ短い言葉に落とし込む。それをやらないと、思考を整理したことにはならない。**モヤモヤの中からクレームとして切り出せるのは何だろうかと考えることそのものがアイデアを洗練させていく。**グループで議論しているときでも「この議論の中で、クレームとして切り出せるものはなんだろう」と考える。それが「言語化は思考するためのツール」ということだ。

これは、多くの仕事に共通することだろう。

前章で紹介した「悪魔のように細心に！　天使のように大胆に！」という名言を残した黒澤明監督も、映画の企画を一行で説明することを心がけていたそうだ。

「百姓が侍を七人雇い、襲ってくる山賊と戦い勝利する」

これは『七人の侍』を説明するクレームだ。

「あと六五日で死ぬ男」

こちらは『生きる』だ。そのまま映画のタイトルにしてもいいぐらいの端的さである。

黒澤監督の名作の数々は、そういう短く具体的なクレームから始まった。それを言い切れた時点で、本人の頭の中では作品が出来上がったも同然だったかもしれない。

そこで大まかな道筋が見えれば、あとはそのクレームに肉付けしていけばいい。

クレームを一行で書いてみると、自分の中でモヤモヤしていたアイデアの正体をつかむことができる。それがわからないと、それが本当に面白いかどうかもはっきりしない。モヤモヤのうちは「面白いはず」と思い込んでいたアイデアが、いざ言語化してみると意外とショボかったということもよくある。しかしそれは、自分と一体化していたモヤモヤなものを、言葉にて自分から突き放して外から見てみることで客観的な価値判断ができたということだ。

同じモヤモヤに対して複数のクレームを作ってみて、比較するのもいい。もし、その時点でどうにもモノにならないと思ったら、切り替えて別のことを考えてもいい。そういうジャッジができるのが、言語化の

良いクレームとは1行で言い切れて、仮説として成立するもの

「あと65日で死ぬ男」

黒澤明監督『生きる』のクレーム

「DNAは二重螺旋構造をしている」

生物学者のクレーム

メリットのひとつだ。モノにならないアイデアをいつまでもモヤモヤのまま抱えていても仕方がない。別のことを考えているうちに、そのアイデアが活きるクレームを思いつくこともある。

3 クレームは「答え」ではなく「仮説」で

さらに、一行にまとめたクレームは人の感想を聞きやすい。妄想は自分の「面白い」から生まれるとはいえ、やはり他人の反応を知ることは大事だ。独りよがりでない面白さがあるかどうかは、人の反応を見ることでも見当がつく。

クレームを人に見せて反応を見るときに気をつけなければいけないのは、クドクドと説明をしないことだ。短い言葉だけでは伝わらないのではないかと心配になって、クレームを見せるやいなや「これは何が面白いかというとですね……」などと詳細を喋りたくなる気持ちはわかる。しかし、それではあえて「一行」で書いた意味がない。

一行でうまく伝わらないなら、そのクレーム自体に大したインパクトがないということだ。自分自身の思考がまだ十分に整理されていないのかもしれない。

それに、たとえうまく伝わらずにネガティブな反応を受けたとしても、それだけで大きな意味がある。クレームは試験の答案ではないから、一発で「正解」を出す必要はない。むしろ、他人からのフィードバックを受けてさらに中身をブラッシュアップするのが目的だと考えたほうがいいだろう。

つまりクレームは、あくまでも「仮説」でしかない。仮説は最終的な答えではなく、検証を受けるために出すものだ。常に正しいことは「ファクト」であってクレームにはならない。「太陽は東から上る」はファクトなのでクレームとして検証する必要はないが、「この地域では光が雲に反射して太陽が西から上るように見える現象がある」と言ったら、「本当か？　どのくらいの頻度でそうなるのか？　雲に反射するメカニズムはどうなっているのか？」と検証したいことがどんどん出てくる。それがクレームを提示する価値となる。

たとえば「〇〇というモーターを開発すれば推力が上がって空飛ぶ装置が作れる」というクレームは、正しいかどうかわからない。実験したら全然ダメでした、ということも当然だがあり得る。

でも、仮説を出さなければ実験もできない。だから、まだ海のものとも山のものともつかない仮説を、思い切って端的に言い切ってしまうことに意味がある。

だからクレームは、検証ができる、どうしたら決着がつくかが想定できるような形で書かなければいけない。

たとえば「DNAは二重螺旋構造をしている」という生物学者のクレームは、簡潔であると同時に、正しいかどうかを検証できる、決着がつけられるところが重要だった。そのための解析技術（X線結晶構造解析装置など）が、当時急速に発展していたことが背景となっている。あるいは、そういう技術の発展により「遺伝子の立体構造を決定する」というクレームが、単なる予測から決着がつけられるクレームの範疇（はんちゅう）になってきたと言えるかもしれない。このように、仮説として成立すること、検証するための最短パスを考えることが、研究や技術の開発計画になる。

決着のつけられるクレームかどうかは、「正しいけれど曖昧」な表現を使っていないかでも判定できる。正しいけれど曖昧な表現とは、たとえば「高機能な」「次世代の」「効率的な」「効果的な」「新しい」といった表現だ。間違ってはいないので使いたくなるかもしれないが、決着はつけられそうにない。また、ヒューマンインタフェースの分野で危ないのは「人にやさしい」という表現だ。確かに人にやさしい技術は望ましいかもしれないが、これもどうやって決着をつけるのかの道筋が見えてこない。なかにはそういった表現だけでできているものもある。「効率的で人にやさしい次世代型の情報検索技術」など、耳ざわりがよいだけで実際には何もクレームしていないことになる。

この判定は論文の題目（タイトル）を決めるときにも役に立つ。論文だから何らかの新しくて効果的なことを提案しているのは当然なので、題目にことさら「新しい」「効果的な」などを入れていると、それ以外に売りがないのではということになってしまう。

4 「やりたいジャンル」はクレームではない

学生にやりたい研究テーマについて聞くと、こんな答えが返ってくることもある。

「ディープラーニングの研究をしたいです」

「人間拡張とＡＩを組み合わせたシステムを作りたいです」

たしかに「何がやりたいか」の方向性はわかるものの、これではクレームになっていない。検証可能な仮説ではなく、特別なアイデアを主張しているわけでもない。まだ、やりたい「ジャンル」を表明している段階にとどまっている。

自分の「やりたいこと」がモヤモヤしているのは、かまわない。だからこそ、頭の中で考えていることを言語化して整理しようという話をしている。でも言語化したときにジャンルでとどまっていると、先に進むことができない。それは「思考」ではなく、ただの「希望」だ。「それで何ができるの?」と聞かれて「いろいろな可能性があります」と答えるだけでは、クレームとしては弱すぎる。

では、これはどうか。

「視線を使ったウェアラブルコンピュータの研究」

こちらは少し具体性があるので、クレームに一歩近づいたと言えるだろう。でも、まだ、あるジャンルにおける装置の構成を語っているだけだ。それの何が面白いのかがわからない。専門家なら何がやりたいかがある程度は推測できるが、素人に聞かせたら「それが何になるの?」と思われてしまう。「天使度」が低いと言ってもいい。何らかの形で、素人にもわかる面白さを表現してほしいところだ。また、この段階では「正しいかどうか」の決着のつけ方もわからない。

視線の向いたところの情報に反応するウェアラブルコンピュータなら、たとえばユーザーの見た看板に書かれた文字情報を翻訳することもできるかもしれない。それがあったら、海外旅行をしたときに便利だ。一般論ではなく、クレームはそこまで絞り込んでほしい。たとえば、これをクレームに落とし込むと、こんなふうになるだろう。

「知らない言語の文字を見ると、翻訳された情報が目の前に現れる」

あるいは、視線が行っている先はその人の興味がある箇所である可能性が高いので、

「注視している先の映像だけを集めれば、その人の行動を理解することができる」

といったクレームもあるだろう。視線の先の物体を特定できれば、やりたい操作を絞り込むことができる。ということに着目すると、

「注視している先の物体に関連する操作コマンドだけを認識するようにすれば、音声認識の精度を向上させることができる」

というクレームもあり得るかもしれない。ここまでくると十分に具体的なので他の人に話して意見を求めることもできるし、「本当にできるのか?」「できることを立証するにはどうしたらいいだろう?」「決着をつけるための最小の機器構成はどうなるだろう」「できた際のインパクトはどのくらいだろう」といった具体的な計画に進むことができる。ジャンルだけで漠然と考えていたときとは比較にならない。

私たちの世界だけでなく、「やりたいこと」がジャンルでとどまっている人は多いと思う。「イギリスに留学したい」とか「英語を身につけたい」などもそうだ。イギリス、留学、英語などに興味があるのはわかるが、本人も何のためにそれらをやりたいのかを把握できていない。「何のためにやるの？」と聞かれたら、「それを見つけるために留学するんです」とか「とりあえず英語がわかればできることが広がると思います」などと答える人もいるだろう。

やりたいこととして研究のジャンルを挙げる学生にも、そういうところがある。具体的に何をやるかは、とりあえず勉強してみないとわからないと思っているのかもしれない。本当にやりたいことを見つけるための準備として、まずは自分が興味を持てるジャンルを選び、そこで足腰を鍛えたいということだろう。

5　今やりたいことは、今やる

たしかに、何をやるにも足腰を鍛えるのは大事だ。私たちの仕事でいえば、専門分野に関する知識や経験が不足していると、「天使度」は高められても「悪魔度」を高めることができない。素人のような発想だけあっても、玄人としてそれを実行できないわけだ。

とはいえ、人生はそんなに長くはない。いずれ訪れる「本番」のための準備ばかり重視していると、ふと気づいたときには「備えだけの人生でした」ということになってしまう。

今この瞬間もすでに自分の人生なのだから、足腰を鍛えつつも、自分のやりたいことをとりあえずでもいいのでイメージしていたほうがいい。といってもたった一行のクレームだ。それがうまくいかなければ、また別のクレームを考えればいいだけのことだ。

たとえば、「政治家になるには何をすればいいですか?」とアドバイスを求める若者にどう答えるか。たぶん政治家になるルートはたくさんあるだろう。そこから逆算すれば、何か政治家塾みたいなものに入るとか、地方議員の手伝いをするとか、政党の支部に入るとか、今できる準備はいろいろあると思う。でも、私がいちばん好きなのはこのアドバイスだ。

「政治家になりたいなら、選挙に出なさい」

身も蓋もないけれど、この考え方はとても良いと思う。とにかく立候補してしまえば、政治家になるために必要なことを否が応でもやることになるから、足腰は自然に鍛えられるだろう。それに、何はともあれ、選挙戦で有権者に訴える政策をしっかり考えて打ち出さなければならない。行動自体がクレーム的だとも言える。

それがはっきりしないようでは、そもそもどうして政治家を目指したのかもわからない。「政治家になりたい」だけでは、「ディープラーニングの研究をしたい」と同じで、興味のあるジャンルを表明しているだけだ。明確な政策を打ち出すには、まず自分がなぜ政治家になりたいと思ったのかを考える必要がある。

だから、「やりたいこと」を聞かれてジャンルしか思いつかない人は、そもそも自分がなぜその領域に興味を持ったのかを掘り下げて考えてみるといい。そこにはきっと「こういうことができたらいいのに」という妄想の種(たね)があるはずだ。

その妄想を言葉として定着させれば、いくつかのクレームに落とし込むことができるはずだ。べつに、今やりたいことをひとつに絞り込む必要はない。四つか五つのクレームができたなら、その中から最もアプローチしやすいものに挑戦してみればよい。

そもそも、準備とは「予測される未来」に向かってやることだ。海外旅行の予定があるなら、パスポートやスーツケースなどを準備する。会社員なら、定年後のために貯金をしておく。たしかに、それは必要だろう。

しかし、前にも言ったとおり、未来をすべて予測することはできない。とくに今の社会は先行きが不透明で、何が起こるかわからない時代だ。人生のコースを考えても、もう標準的なキャリアは存在しない。

昔は大学を出て大きな企業に就職すれば定年まで安泰だったから、それこそ老後の「準備」をしていればよかった。今の時代に、そういう未来が約束された道はない。未来がどうなるかわからないのでは、何を準備すべきかも定かではないだろう。準備の段階で先行きの展望が変われば、また別の準備を始めなければならない。準備ばかりしていると、いつまでたっても「本番」を迎えられない人生になってしまう。

技術開発も同じだ。五年後、一〇年後に役に立ちそうなことを思い描いて、そのために足腰を鍛えていても、その将来的なビジョンはいつ消え去るかわからない。それなら、自分が今「面白い」「やりたい」と思うことをクレーム化し、実行に移せるものは実行に移したほうがいいだろう。

そのほうが、足腰を鍛えるためのトレーニングもやるべきことがはっきりするし、何より楽しいはずだ。「あとで何かの役に立つから、とにかく体を鍛えておけ」と言われてランニングや筋トレを続けるのは苦しいけれど、自分のやりたいことがはっきりしている人間は、誰に言われるわけでもなく喜々として校庭を一〇周でも二〇周でも走るだろう。

6 発明は必要の母

技術開発の世界では、目的がよくわからないのに手段だけが生まれることがある。そこがエンジニアの妄想力の面白いところだ。「これを解決してくれ」と課題を与えられたわけではないのに、「この装置にあのセンサーをつけたら面白いんじゃないかな」といった具合にとくに何かの解決策ではないことを思いついてしまう。

それは、少しも悪いことではない。よく「必要は発明の母」と言うけれど、「**発明は必要の母**」でもある。これは、技術史家のメルヴィン・クランツバーグが、技術の発展と社会の変革の関係を分析して見出した法則のひとつだ。**ある発明が、それまで誰も考えていなかった「必要」を生むことは歴史的にはめずらしくない。**

たとえば産業革命の起爆剤となった蒸気機関は、最初から機関車の駆動技術を目的として発明されたわけではない。そもそもは炭鉱から水を汲み上げるためのポンプとして開発された。それを交通機関に転用した蒸気船が実用化されたのは、ワットの発明からおよそ四〇年後のこと。今から振り返れば蒸気機関を乗り物のエンジンにできるのは自明に思えるが、その使い途を思いついて実用化するまで予想以上に長い年月が必要だった。

ちなみに、ジョージ・スチーブンソンの発明した蒸気機関車が実用化されるまでには、それからさらに一〇年近くかかっている。鉱山には馬車鉄道が敷設されていたものの、広範な地域に鉄道を敷いて列車を走らせるという発想はなかったのだから、まさに蒸気機関という発明が鉄道網という必要の母になったと言えるだろう。

また、エジソンの蓄音機という発明も、想定外の必要を生んだ。蓄音機（フォノグラフ）はもともと録音装置、今で言う「ボイスメモ」に近いものとして発明されたものだ。その場で自分の喋った言葉を「蓄音」すれば、たとえば後で聞きながら文字に起こすこともできる。そんな利便性をエジソンは考えていた。そのためエジソンは録音できることを重要視していて、有名な円筒型蓄音機の構成を考えた。

ところが、この発明が「録音された音楽を聴く」という必要を生む。自分の声を録音することではなく、他人が録音した演奏を「聴く」メディアとしてのレコードが発明されたのである。再生だけならかさばる円筒形にする必要もない。円盤の溝に音を刻んだメディアを「印刷物」として大量生産して広く出版することができるようになる、という発想は、当初のエジソンの頭にあった妄想とは異なるものだ。

当たり前だが、エンジニアは世の中のすべての課題やニーズを知っているわけではない。蒸気機関車やレコードのように、存在しなかったニーズが後から生まれることもある。だから、**面白い「手段」**を思いつ

最初の用途にこだわりすぎない

エジソンの蓄音機（左）という「発明」は、
レコードという想定外の「必要」を生んだ

いたなら、後からそれを解決策として使えそうな課題を探せばいい。まったく縁のなかった分野に、「そんな技術があるなら是非これに使いたい」と言う人がいる可能性もある。自分の妄想から生まれた面白いアイデアは、最初の用途にこだわりすぎずに、より大きな「必要」の可能性を検討してみることも大事だろう。

7　始める前にあらすじを書く

美食家として有名な陶芸家の北大路魯山人(きたおおじろさんじん)が、『フランス料理について』と題した文章の中で、こんなことを書いている。

〈元来料理の良否は、素材の良否がものをいうのである。「まずい」素材をうまいものに是正するという料理法は由来発明されていない。「まずい」ものをうまくなおすことは、絶対不可能という鉄則がある。〉

だから「素材が不良」なフランス料理は「世評がむやみと礼賛するほどの物でない」という話だが、フランス料理に対する評価はともかくとして、「素材」が大事なのは料理も技術開発も同じだと思う。

そして、エンジニアが料理する素材がクレームだ。クレームが良くないと、実行の段階であれこれいじっても「是正」は難しい。

素材としての良し悪しを見極める意味でも、まずは一行で書けるかどうかが大事だろう。一行でスッキリと書き切れないのは、素材としてあまり良くない可能性がある。たくさんの言葉を費やして説明しなければわからないクレームは、いろいろな手間をかけて作った複雑なソースで誤魔化さないと美味しくならない食材みたいなものだ。

素材の良し悪しを知るには、実験や試作などの本格的な研究作業に入る前に、論文のあらすじを書いてみるといい。※2 ふつう、論文は研究の結果が出てから執筆するものだが、先回りしてそのあらすじを数行ぐらいにまとめてみるのである。

あらすじは、たとえば次のような項目に分けて考えると良いだろう。これはそのまま論文の「概要（アブストラクト）」になっているし、ビジネス企画書の骨子としても使えるだろう。※3

・課題は何か？　それは誰にとって必要なものか？
・その課題はなぜ難しいのか？　あるいはなぜ面白いか？
・その課題をどう解決するのか？（これが最初に思いついた「一行クレーム」に相当する場合が多い）
・その手法で解決できることをどう立証するか？　どう決着をつけるか？
・その解決手法のもたらす効果、さらなる発展の可能性。

最初の問題提起から最後の結論まで、想定している実験などがうまくいったと仮定して、全体の流れがわかるように書き下す。料理で言えば、レシピみたいなものだろうか。素材が良いと、そう苦労せずに書けるはずだ。途中で迷いが生じることがない。

たぶん料理も、素材が良ければ良いほどレシピはシンプルなものになると思う。最高に鮮度の良い刺身などは、料理人が腕を試されるのは包丁の入れ方だけだ。逆に、不味い素材を何とかして美味しく料理しようと思ったら、工程が増えるだろう。途中でどんな味を足せばいいのか迷ってしまい、どうしていいかわからなくなることもあるはずだ。

論文のあらすじもそれと同じで、途中で迷ったり手が止まったりするときは、素材であるクレームの素性に問題がある。たぶん、さまざまな企画書や映画のシナリオなども同じなのではないだろうか。概要やあらすじを一気にスーッと書けないときは、「うまいものに是正」できない。無理やり辻褄を合わせたような、つまらないものになってしまう。

8　決着をつけるための「最短パス」を考える

さて、クレームが一行で表現できて、論文のあらすじがサラサラと書けたからといって、そのクレームが正しいかどうかはわからない。それらの「言語化」は、あくまでも思考を整理するための手段だ。次は、自分の考えたことが正しいかどうかを確かめなければならない。私たちはそれを「決着をつける」と言ったりする。

具体的には試作品を作るなどして実験を行なうことで決着をつけるわけだが、ここでもクレームや論文のあらすじと同様、「端的さ」のようなものが大事だ。

アイデアは料理の素材と同じで、鮮度が落ちると味も落ちる。良い素材でも、あれこれ手を加えて時間をかけすぎると、美味しい料理にはならない。たとえば出汁を取るにしても、最高に美味しいのは手早く引いた一番出汁だ。アイデアも、手早く「一番出汁」を取ってみて、それが正しいのかどうかを見極めたい。

だから、アイデアを形にするときは、決着をつけるための「最短パス」を考える。なるべく手間をかけずに、そのアイデアが本当に面白いかどうか、実現可能性があるのかないのかを確かめる方法を探すのだ。そこにあまり手間暇をかけていると、アイデアの鮮度が落ちるだけでなく、そもそも何をやろうとしていたのかわからなくなるからだ。

もちろん、あるアイデアを試作するために別の実験装置を新たに作らなければならないこともあるだろう。それを作るために、未知の分野の勉強が必要になったりもする。そういった場合にも、決着するべきものが何かを明確にしていることが重要だ。そうでないと、何をやろうとしていたのかが自分でもわからなくなる。英英辞典を引いて、次々と知らない単語を調べているうちに、最初に何という単語の意味を知りたかったのか忘れてしまうようなことが起こりかねない。

目の前のクレームが正しくないなら、早く見切りをつけて次のクレームに取りかかったほうがいいだろう。時間は有限だから、決着はなるべく早くつけたい。

では、決着をつけるための最短パスとはどういうことか。その好例として、半世紀ほど前にＩＢＭが行なった実験を紹介したい。※4

試されたクレームは、「（音声認識の精度が十分に高ければ）音声で文字を打つタイプライターは実用になる」。クレームとしては完璧である。手を使わずに、喋るだけでタイピングをしてくれるなら、すごく便利そうだ。でも、本当に便利で、使うと嬉しいかどうかはどう確かめたら（決着をつけたら）いいだろうか。実際にやってみたら、「やっぱりタイプは手で打たないとダメだよね」ということになる可能性もあるだろう。

しかし、その時代に音声タイプライターの試作品を作るのは、その入口となる音声認識の精度が未熟なためにとても難しかった。やっと試作品が出来上がっても、いざ使ってみた途端に「このアイデアはダメだ」となるのは避けたい。

そこでＩＢＭは、こんな実験を行なった。何も知らない被験者に「音声タイプライターの試作品が完成したので、その使い心地を確かめます」と伝え、原稿を渡してマイクの前で読み上げてもらう。被験者が見ているモニターには、喋ったとおりの言葉がリアルタイムでタイピングされていくのだが、これはコンピュータがやっているわけではない。隣の部屋にプロのタイピストがいて、聞いた言葉を手で打っている。

試作品を作る手間を省くために、人間で代替したわけだ。見事な「最短パス」である。音声タイプライターの現実的な可能性や問題点を知りたいなら、たしかにこれで十分だろう。

たとえコンピュータを使った試作品ができたとしても、技術的なレベルが未熟な段階では、音声認識の精度そのものが低いものしか用意できない。すると被験者の感想は「もっと音声をちゃんと認識してくれないと、これでは使い物になりませんね」という点だけに集中してしまう。

でも、本当に知りたいのは、音声認識の精度が十分に高い状態での感想だ。使ってみたら「音声で文字を打つタイプライター」は思っていたほど欲しいものではないかもしれない。その理由は、設計上の問題から起こるのか、それとも「音声で文字を打つタイプライター」というクレームの妥当性なのかをはっきりさせたいからだ。

たとえば、言い間違いなどでタイプミスがあったときに、どうやってひとつの単語を消すか。「ひとつ前の単語を消してください」と喋ると、単語を消すのではなく、聞いたとおりに「ひとつ前の単語を消してください」と打ってしまうかもしれない。ほかにも、スペースの入れ方や改行の方法など、設計上で課題となるポイントは山ほどある。そういった問題をクリアさえすれば、やはり便利だという結論になるか。クレームのインパクトや、使い勝手を確かめたいなら、パスできることは省きたい。そのためには無理に精度の低いコンピュータを使わず、人間で代替したほうがいい。この音声タイプライターで確立された手法は「ウィザード・オブ・オズ（オズの魔法使い）法」と呼ばれ、その時点の技術では実現が難しい機器のユーザーインターフェースを研究する手法として広く用いられるようになった。

さらに壮大な「最短パス」は前に述べたアポロ計画かもしれない。「人間を月に着陸させ、無事に地球に帰還させる」ということを実現するために、発射時には巨大なサターンV型ロケットだったのが、地球

オズの魔法使い法

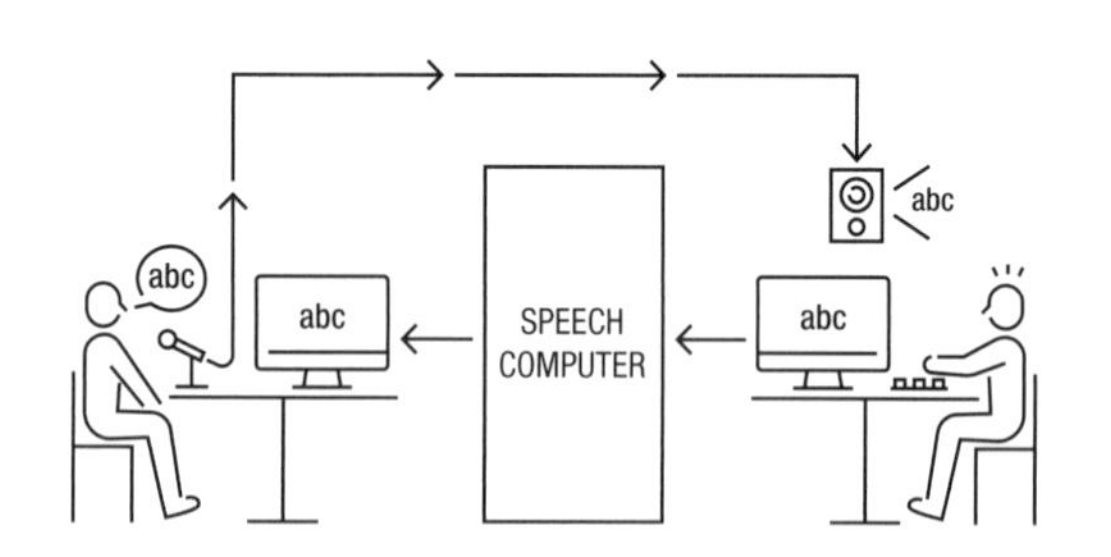

クレームのインパクトを確かめるためには、パスできることはとことん省く。
IBMが行なったこの実験手法は「オズの魔法使い法」と呼ばれる

に戻るときには小さなカプセルになってしまう。道程に膨大なリソースを放棄しながらも、月に行って帰ってくるという「パス」は通している。当初は、帰還用のロケットの機材を月面に送って組み立てる、といった案もあったらしいが、そんなことをしていたら到底１９６０年代のうちに月着陸はなし得なかっただろう。

9　早く決着がつけられれば、多数のアイデアを試せる

そうやって最短パスで決着をつければ、次にやるべきことがはっきりする。「これはやはり面白いし価値がある。ただしこういう問題点を克服すべきだ」という結論が得られれば、本格的な試作品の設計が効率よくやれるだろう。

その試作品でも新たな課題が見つかるかもしれないが、それはプロジェクト自体を否定するようなものではない。大きな方向性は間違っていないのだから、さまざまな段階で生じるマイナーな問題を解決しながら、自信を持って前進させることができる。

もちろん、ネガティブな形で決着がつくことも少なくはない。与えられた課題を解決する「真面目」な技術開発とくらべれば、破天荒な妄想から始まるアイデアは歩留

まりが悪いかもしれない。打率の低いスタイルだから、結果を出すためにはできるだけ打数を増やす必要がある。

だからこそ、一行のクレームを書いてから決着をつけるまでの最初のサイクルを短くすることが大事だ。そこに時間をかけていると、打数は増えない。

早く決着がつくなら、どんなに型破りなクレームでもどんどん試す気になるだろう。素材レベルでダメだとわかったアイデアは捨てて、次のクレームに取りかかることができる。ひとつのクレームが三日で決着をつけられるなら、一カ月で一〇個のクレームを試せる。

逆に言えば、アイデアをたくさん持っていなければ、打数は増やせないということになる。思いついたことがひとつしかなければ、簡単に捨てることはできない。どんなに時間がかかっても、それを何とか形にしようとするだろう。しかしそれが素性の悪いアイデアだったら不幸だ。良くない素材に手間をかけて無理やり料理することになるわけだが、美味しくなる可能性は低いだろう。

だから、妄想はいろいろな方向に広げたほうがいいし、アイデアの種は多ければ多いほどいい。自分が面白いと思える新しいものを生み出そうと思ったら、まずはアイデアの数が勝負だ。

偉大な発明家にしても、数々のヒット曲を生み出すプロデューサーにしても、一発必中でもなければ、百発百中でもない。じつは、山ほど失敗している。ヒットも凡打も記録に残る野球のバッターと違って、発明や楽曲の失敗作は世に出ない（出ても売れないのでみんな知らない）から、打数の多さや打率の低さが目立たないだけだ。

では、アイデアをたくさん生み出して、打数を増やすにはどうすればいいのか。次章では、そのあたりの考え方について述べてみよう。

※1　私は論文や特許を書く機会が多いせいもあり「クレーム」と呼んでいるが、ビジネスやコンサルティングの領域では「イシュー」あるいは「イシュー・ステートメント」と呼ばれる場合がある。その本質はまったく同じで、課題を簡潔に言語化することで、それが真に解くべき価値のあるものなのかを見定めようということだ。『イシューからはじめよ――知的生産の「シンプルな本質」』（英治出版・安宅和人著）は、知的生産の本質がイシュードリブンであるということを明快に説明している

※2　研究をする前にまず論文を書くことについては、マイクロソフトリサーチの研究員Simon Peyton Jones氏のエッセイが参考になる：Simon Peyton Jones, How to write a great research paper　https://www.microsoft.com/en-us/research/academic-program/write-great-research-paper/

※3　この項目分けは、コンピュータ科学者Kent Beck氏の概要（アブストラクト）記載方法に基づいている（https://plg.uwaterloo.ca/~migod/research/beckOOPSLA.html）。科学誌Natureの投稿案内では、概要は次の順で記載することを推奨している https://www.natureasia.com/pdf/ja-jp/nature/authors/gta-2017.pdf

・全ての分野の科学者が理解できるような紹介
・関連分野の科学者が理解できるようなより詳細な研究の背景
・この研究が対象としている問題
・主要な結果
・今回明らかになった主要な結果と従来との比較
・結果のより一般的な内容
・より広範な展望

※4　John D Gould, John Conti, Todd Hovanyecz, Composing Letters with a Simulated Listening Typewriter, Communications of the ACM, vol. 26, no. 4, (1983)

第3章

アイデアは「既知×既知」

1 「好きなもの」が三つあれば妄想の幅が広がる

人が思いつかないアイデアを生むには、どうしたらいいだろう。

オリジナリティのある面白いアイデアは、どこかに「その人らしさ」が垣間見えるものだ。

でも、「面白い人は、面白いことを考えるから」といって、「面白い人間」になろうと努力する必要はない。誰にでも、他人とは違う個性があるし、面白いことを考えるヒントは必ず持っているからだ。

アイデアの源である妄想は、自分の「やりたいこと」だ。人はそれぞれ、やりたいことが違う。欲望が違う。だから他人の目を意識した面白さを追求するのではなく、自分の問題から始めるのがいいと思う。そこで妄想の種としておすすめしたいのが、自分の「好きなもの」だ。

エンジニアなら、あるジャンルの装置や部品などに対する好みは人それぞれだ。テクノロジーとは直接関係のない趣味も個性の一部だ。クラシック音楽が好きな人とテニスが好きな人とでは、「こんなものがあればいい」の中身も違う。

ただ、好きなものがひとつあるだけでは、なかなか強い個性にはなりにくい。ある装置やクラシック音楽やテニスが好きな人はたくさんいる。その「好きなもの」から同じような妄想を抱く人も多いだろうから、アイデアがかぶる。

他人が考えない自分らしいアイデアの源泉にするなら、好きなものが三つぐらいあるといい。たとえば視線センサーという装置とクラシック音楽とテニスがどれも好きな人は、かなりかぎられるだろう。「クラシック音楽が好きです」と言われてもべつに個性的だとは思わないが、好きなものを聞いてその三つが挙げられたら、何となく「その人らしさ」が立ち現れてくる。

「好きなもの」がわからない人も多いようだけれど、誰でも、ふだんから興味を向けている対象の三つや四つはあるはずだ。他人に自慢できるような見栄えのいいものでなくていい。それは自分らしいオリジナルなアイデアを生む妄想の種として大事にしたほうがいい。アイデアは、「無」から「有」を生むものではないからだ。

自分が思いもつかない新しいアイデアを見聞きすると、「なんでそんな突拍子もないことをひらめくんだ！」と驚く。タネも仕掛けもないところからハトが飛び出してきたように感じるかもしれない。

しかし、考えた本人にとってはタネも仕掛けもある。新しいアイデアは、何もないところから突如として出現するわけではない。そのほとんどは、「既知」のことがらの組み合わせだ。その組み合わせが新しいから、「未知」のアイデアになる。

好きなものがひとつでは、その「既知」と「既知」のかけ算ができない。最低二つは必要だ。三つあれば、組み合わせのバリエーションが増大する。それだけ、妄想の幅が広がる。

2 ブレストはワークしない

もっとも、ひとりの人間だけでは、アイデアの幅に限界があるのもたしかだろう。「既知と既知の未知の組み合わせ」からアイデアが生まれるなら、さまざまな個性を持つ複数の人間が集まれば、妄想の種はさらに広がりそうだ。「三人寄れば文殊の知恵」という諺もある。好きなものが三つあれば「既知×既知」の組み合わせが増えるのだから、この諺にもそれなりの説得力があると言えるだろう。

研究所や会社などの組織では、しばしば会議を開いて新しいアイデアを模索する。会議にはそれぞれいろいろな目的があるけれど、企画会議のような「アイデア」に特化した会議でよく行なわれるのが、ブレスト（ブレインストーミング）だ。一九四〇年頃から一九五〇年代にかけて考案された会議のスタイルで、「集団思考」「集団発想法」と呼ばれる。

五〜一〇人程度が集まって、とにかく自由にアイデアを出す。どんなに奇抜でリアリティのないアイデアでも、批判や否定は基本的にNG。むしろ、そういう提案こそ歓迎すべきで、ポストイット（付箋）にそれぞれ自分のアイデアを書き込み、壁に次々と貼っていくスタイルも多い。多くの組織が、当たり前のようにこの会議手法を導入しているが、本当にブレストによって良いアイデアが生まれているのだろうか？私はこの手法には懐疑的だ。

ブレストに関連して、「マインドマップ」や「マンダラート」といった思考ツールのことを思い浮かべる人もいるだろう。アイデアのキーワードを真ん中に書いて、そこから放射状に連想されるイメージなどを広げていくマインドマップや、3×3の九つのマスの真ん中に考えたいことを書き込み、周囲に関連する物事を書く作業をくり返す。そういったツールを常用している人も多いとは思うけれど、私は使わない。人によって向き不向きはあるし、連想を引き出すには有効かもしれないが、この方法では良いアイデアは生まれないのではと思っている。「仕事をやってる感」はあるかもしれないが。

マインドマップのような思考法と同じで、ブレストも「仕事をやってる感」は味わえる。カラフルなポストイットを壁にたくさん貼りつけた様子は写真映えもして、「クリエイティブな仕事してますアピール」にもなるだろう。

もちろん、何か結論を出すのが目的ではないブレストもある。その名称どおり、みんなが嵐のように刺激を与え合って頭の中を揺さぶることに意義を見出すこともできるとは思う。しかし、そんな刺激の与え方でいいのか？　というのが正直なところだ。

というのも、ブレストでは「良いアイデア」より「その場でウケるアイデア」が出されがちだ。本気で課題を解決しようと思っていても、ブレストの場の盛り上がりに左右されてしまうことがある。

何かを発想するときには「面白い」「楽しい」が大事だ。でも、それは手段であって目的ではない。それが目的になると、場の空気を読んで参加者の気持ちを忖度（そんたく）することになる。地味だが良いと思うアイデアは遠慮して出さず、あるいは出したとしても他の人の目にとまらず埋もれてしまう。とくに良いとも思っていない目立つアイデアを無意識でも出してしまう。また、アイデアの「数」も求められるから、生煮えだったり、自分が面白いと思わない不本意な案でも、ブレストを成立させるために出すこともある。結果、「ブレストのためのアイデア」になってしまう。

また、ブレストは短時間でたくさんのアイデアを出さなければいけないので、考える余裕がほとんどない。しかしアイデアとしてまともな評価をするためには、クレームの形で書かれていなければいけない。一行のクレームは短いが、そこに落とし込むまでには考える時間が必要だ。そのクレームに意味があるかどうかを解釈するにも、それなりの時間がかかる。ブレストのスピード感は、それを許さない。その結果、その場で最も受けてベストと思われたアイデアが、会議後数日経つと「あれ、そのアイデアのどこが良かったんだっけ」と言われて結局捨てられてしまう場合がある。

3　多数決ではジャッジできない

また、ブレストにかぎらず、会議での意思決定は多数決になることが多い。あるいは、いろいろな意見の最大公約数を取るような形で全会一致に持ち込むこともある。

そういう形で決めてかまわない案件もたくさんある。たとえばクラス委員やプロジェクトのリーダーなどの人選は多数決で問題ない。あるプロジェクトに使う予算の額で意見が分かれたら、両者の平均値のあたりで丸く収める手もある。

でも、アイデアを決めるのにこの方式は向かない。新しいアイデアは、結局のところ、常識を突き抜けた「尖った」ものだからだ。それが良いか悪いかをジャッジするしかない。「A案とB案のあいだを取って」という折衷案は、せっかくの尖りぐあいが丸められて、A案とB案のどちらよりもダメなアイデアである可能性が高い。

では多数決で良し悪しをジャッジすればいいかというと、そうでもない。多数派が良いと思うものが必ずしもベストなアイデアとはかぎらない。多数決で選ばれるのは無難でさほど新しくもないアイデアだということはよくある。

もちろんブレストでも、誰かがその場で偶然に良いアイデアを思いついて、本当にそれが良いアイデアで、皆も賛同する、ということもあるだろう。しかし、そういう偶然を期待して頻繁にブレストをやるのは効率が悪い。サッカーチームが「みんなで勝手にボールを蹴っていれば、もしかしたら一回ぐらいゴールに入るかもしれない」と、戦術もゲームプランも役割分担も何もない状態で試合に臨むようなものだ。

一方、自分が「決定打」と思えるほど良いアイデアを出しても、それをきっかけに話があらぬ方向に広がることも多い。そのアイデアをしっかり理解できていない人たちが、見当違いの別バージョンを次々と出したりすると、最初の良いアイデアは完全に埋もれてしまう。そんなふうにして自分のアイデアをブレストで台無しにされた経験のある人は多いのではないだろうか。

4　アイデアには孤独なプロセスが不可欠

ブレストでは、他人の意見を「つまらない」と評してはいけないのが基本ルールだ。だからあまり優劣はつけずに、どのアイデアも同列に扱われる。でも、いわば民主主義的なこの「平等感覚」は、アイデアに関しては弊害のほうが大きいだろう。

新しいアイデアには、何かしら世の中のバランスを崩すようなところに価値がある。みんなが「こういうものだ」と思っていた常識が、あるアイデアの出現によって突如としてひっくり返る。それがイノベーティブなアイデアだ。

「あれもいいけど、これもいいよね」というバランス感覚（平等意識）からは、そういうアイデアは生まれにくい。ところがブレストのような集団発想法だと、どうしてもバランスを取ろうとしてしまう。

だから、たとえ組織として仕事をしている場合でも、新しいアイデアを生む作業は個人フェーズのプロセスを重視する場合が多い。たとえば手塚治虫(てづかおさむ)は「虫プロ」という会社組織で仕事をしていたが、漫画制作の最初の段階である絵コンテは専用の部屋に籠(こ)もってひとりで描いていたそうだ。マーラーは指揮者であり作曲家でもあったが、公的な指揮者としての仕事から切り離すために、個人で籠もる「作曲部屋」を用意していた。個人の妄想から始まるアイデアづくりは、どこかで孤独なプロセスを経なければいけないのだろう。

アイデアの「責任」を負うのは、それを思いついた個人であるべきだ。集団で考えると、責任が分散してしまうので、真剣に考えることができない。「真剣に考えない」とは、つまり、自分自身の妄想と正面から向き合って一行のクレームにまとめるような言語化作業をしないということだ。

その言語化作業を集団で助けるような会議なら、意味があるかもしれない。たとえば誰かが自分の妄想を発表し、そのクレーム化に必要な課題について意見を出し合う。しかしみんなでクレームをまとめるのではなく、そこで出た意見を持ち帰って、発案者が自分で一行に書き下す。あくまでも個人の責任でやり切ることが大事だ。

あるいは、ブレストでみんなのアイデアを集めたとしても、その場では意思決定をしないという手もあるだろう。集まったアイデアをひとりの責任者に託して、「これを叩き台にして、おまえが最終案を決めろ」と決定権を与える。ブレストで出たアイデアを活かしてもいいし、すべて捨ててもかまわない。

そうやって、どこかに責任を負う人間の孤独なプロセスを入れるようにすれば、ブレスト的なアイデア会議が有効に働く可能性はあると思う。「既知×既知」の組み合わせを増やすのが大事だとはいえ、誰も個人で責任を負わない衆議だけの積み重ね（つまり会議のくり返し）で常識を覆すような新しいアイデアは生まれない。

5　インプットを増やす暦本研の会議

結局、ブレストがあまりうまくいかないのは、アイデアを醸成するような、本質的には個人的プロセスを集団でやろうとしていることにある。

むしろ、集団での議論は個々のインプットを増やすことに向いている。新しいアイデアを生むために「既知×既知」が必要だとしても、ひとりの人間では「既知」の個数や幅に限界がある。それなら、集団で「未知」の情報をインプットし合って「既知」の引き出しを広げておけば、考えの幅は広がる。

そのために会議を有効に使うことはできるだろう。さきほど挙げた例もそうだ。誰かの課題にみんなで意見を出し合うのも、みんなのアイデアを誰かひとりに託すのも、その「誰か」のインプットを増やすことにつながる。

私が自分の研究室で行なうテーマ出しの会議では、ブレストよりもインプットを増やすことを目的とする場合がある。その場でアイデアを出そうとするのではなく、**「みんなが知らなそうな面白いものを持ってきて紹介する」**会議だ。

持ってくるものは、本当に何でもありの場合もあるし、ある程度ジャンルを絞っている場合もある。「研究室とは分野の異なる学会で発表された論文」でも、「最近YouTubeで見つけた面白い動画」でも、あるいは「誰も読まないようなマニアックなテーマの本」などが考えられる。とにかくインプットを増やすことが目的だから、それが直接的に誰かの研究のヒントになるかまで気にする必要はない。大事なのは「みんなが知らなそうな話」という点と「なぜそれを面白いと思ったか」が言えることだ。それを共有することで、みんなの「既知」が大きく広がる。

定期的にそういうミーティングがあるとなると、ふだんの行動も変わる。「みんなの知らなそうなこと」を見つけるのはなかなか大変だ。だから、面白い話を求めて興味の対象を広げたり、自分の好きな分野をさらに深掘りしたりする。その時点で、個々の「既知」が増えるわけだ。それをさらにみんなで共有するのだから、効果は大きい。


そこで注意したいのは、持って来るのは「みんなが知らないもの」であって、必ずしも「みんなが面白いと思うもの」でなくてかまわないということ。それを面白いと思うのは、まずあくまでも自分だ。みんなが面白がりそうなものを持っていこうとすると、「その場でウケそうなアイデア」を出すブレストと同じようなことになってしまう。それぞれが自分の価値軸で面白いと感じたもので、「みんなが知らなそうなもの」を持ち寄る。

そしてミーティングでは、どうして自分がそれを面白いと思ったのかを言語化して説明する。情報として共有するには、みんなにもその面白さを理解してもらわなければいけない。これは、クレームを書いたり、クレームの価値をみんなに理解してもらったりするためのトレーニングにもなる。

この会議はみんなの引き出しを増やすための集まりだから、具体的なアイデアを考える前の段階だ。会社の企画会議では、そこに時間や労力を割く余裕はないと言われるかもしれない。しかしやってみると、「そんなことがあるのだったら、こういうアイデアはどうだろう」と新しいアイデアが出てくる場合が多い。ブレストをしばしば実施できるなら、たまにはこういうことをやってみてもよいのではないだろうか。「既知×既知」がアイデアの基本ならば、これも新しい企画などを生む上で十分に意義のあるプロセスだと思う。

6　日本代表の卓球選手からもらったVRのヒント

アイデアの幅を広げるには、「外」からの刺激も必要だ。研究室にしても会社にしても、何らかの目的や価値観などを共有しているグループの内側だけでインプットを増やさずにミーティングをしていると、やはり視野が狭くなる。

エンジニアの場合、前にも話したとおり、面白そうな解決策だけが先に見つかって、それを使う課題がわからないという状況になりやすい。「解決策×課題」も、「既知×既知」の一種だ。両方が揃えば「未知の組み合わせ」になる。

　それを与えてくれるのが、外部の人たちだ。エンジニアにとって「未知の課題」は、まったく知らない世界の人たちにとっては「既知の課題」かもしれない。一方、エンジニアにとって「既知の解決策」は、彼らにとって「未知の解決策」だ。それが出合えば、「既知×既知」になる。


　実際、まったく異分野で活躍している人と会って話をすると、思いがけないアイデアのヒントを得ることが私にはよくある。たとえばあるとき、パラリンピックに出場する卓球の日本代表選手と話す機会があった。いろいろと話していて気づかされたのは、「スポーツは速度を落として練習することができない」ということだった。

　ギターやピアノなど楽器の演奏なら、速くて難しいフレーズを遅いテンポで練習することができる。メトロノームで調整しながら徐々にテンポを上げていけば、やがて速いフレーズが弾けるようになる。

　でも卓球やテニスの初心者は、最初から速いボールを打つ練習をせざるを得ない。もちろん最初はコーチが少しゆっくりしたボールを打つだろうが、遅くするにも限界がある。メトロノームのように自在に速度を調整することもできない。ひとりでやる壁打ち練習でも、容赦なく速いボールが返ってくる。初心者が長く打ち続けるのは難しい。

一方、私の研究分野のひとつであるＶＲ（バーチャル・リアリティ）には、時間の流れを変えられる技術がある。これを使えば、メトロノームでテンポを調整して楽器の練習をするように、ボールのスピードを遅くした状態でテニスや卓球の練習ができるのではないだろうか。


また、こんなことも考えられる。

私はそれ以前から、能力差のある選手やチームが対等に戦うスポーツのやり方を妄想していた。たとえばグラウンド全体の傾斜を調節できるスタジアムがあったら、サッカーやラグビーのハンデ戦ができるだろう。実力の劣るチームの陣地を、相手よりも五度ぐらい高くするのだ。

それはそれで、弱いほうもプレーしにくいかもしれないので、実際には面白いかどうかわからない。でも、何らかの形で能力差を縮めるアイデアはあってもいいと思っている。お互いに、そういう経験から新鮮な知見を得られるかもしれない。

傾斜するグラウンドはともかく、テニスや卓球ならＶＲを使ってハンデ戦がやれそうだ。たとえばジョコビッチ選手のようなトッププロとテニスの初心者では、スピードが違いすぎて試合にならない。でもＶＲの世界では、熟練者の打球は五分の一ぐらいに減速させ、初心者の打球は五倍速にすれば、対等に戦えるようになるかもしれない。

7　他者との出会いで「課題と解決策」のマッチング

時間の流れを変えられるＶＲの話は、その卓球選手も大いに興味を持ってくれたので、さらに踏み込んだ専門的な話もした。

テニスぐらいの球速なら、ＶＲでゆっくり動かすことができる。しかし卓球のスピードになると、ボールの軌道をしっかり再現するのが技術的にやや難しい――。

そう言うと、その選手はこんなことを教えてくれた。

「私たちもボールの軌道を目で追って反応してるわけじゃないんですよ。相手が打ったときのフォームや打球音で、一瞬のうちに次のプレーを予測しているんです」

これは私にとって思いがけないインスピレーションだった。ボールの軌道のことしか考えていなかったけれど、ボールに反応するのに必要なのはそれだけではない。

VRでの画像のフレームレート（コマ数）からすると「速い／遅い」で考えがちだが、人間には人間のフレームレートがあるというわけだ。

そういう一流アスリートの知識が加わると、初心者の練習に役立つVRのアイデアも幅が広がる。より現実感のあるVRスポーツを考えることもできるだろう。プレーする選手の姿をVR空間に投影して「予測しやすい／しにくい」とはどんなことなのかを解析できるかもしれない。次の研究に活かせそうな気がしている。

VRの専門家は、何かを「バーチャル」にする方法には詳しいけれど、多様な世界の「リアル」を知っているわけではない。だから、さまざまな分野の人からそれぞれの「リアル」を教わると、技術の使い途（みち）が広がる。まさに「既知の解決策」を「未知の課題」に役立てることができるわけだ。

アイデアは基本的にひとりで孤独に考えるものではあるけれど、こういう「課題と解決策」（あるいは「目的と手段」）のマッチングは、他者との出会いによってうまくいくことが多い。私たちの世界でときどき企業などとの「共同研究」が行なわれるのも、それが大きな理由のひとつだ。

私たち研究者は、何かに使えそうな新しい技術的アイデアをいろいろ持っている。

しかし、それがすぐにどこかで役立つわけでもない。面白いけれど使い途がなくて埋もれているものもある。

一方の企業は、それぞれ具体的な商品開発を進めている。目的ははっきりしているけれど、実用化するためにはいくつもの課題をクリアしなければいけない。そこで、必要な解決策を持っていそうな社外の研究者を探すわけだ。

そういう未知の課題を持ってきてくれる相手は、私たち研究者にとってもありがたい。課題を見てから解決策を考え始めることもあるが、じつは、新しい課題を知った瞬間に「それならこういうやり方があります」とすぐにアイデアに到達する場合が結構ある。もちろん、そのまま実用に使える

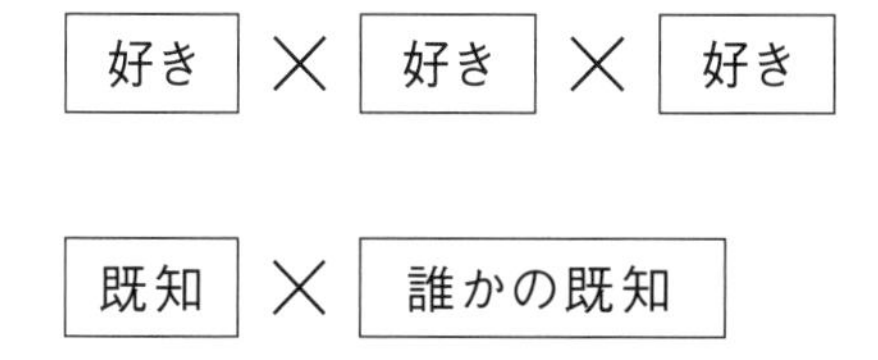

ことは少なく、課題の特性に合わせた「共同研究」がそこからスタートするわけだが、自分のアイデアにそういう使い途があったことに気づくのは、大きな喜びだ。

とはいえ、いつも相手が明確な課題を持っているわけではない。「何か新しいことを一緒にやりたい」という漠然とした話もよくある。こちらの能力に期待してくれているのだから嬉しいことではあるけれど、これはなかなか難しい。それこそブレストのような話から始めることにもなってしまう。これまで作ってきた商品を見ればどういう傾向の企業かはわかるとはいえ、それはジャンルだけしか言っていないクレームみたいなものだ。なるべく具体的な課題を題材にしたほうが、共同研究は始めやすい。研究にかぎった話ではないと思うが「何か面白いことやりましょう」と打ち合わせだけしていても、仕事は進まない。

8 「未知」への好奇心が天使度を鍛える

長く同じ仕事をしていると、経験を積めば積むほど専門的な知識は増える。でも、キャリアが長ければやれることが広がるかというと、そういうものではない。アイデアの「悪魔度」や「玄人度」はどんどん高められるけれど、「天使度」や「素人度」はむしろ減っていくのが一般的な傾向だ。

研究者の場合、そういう悩みは、じつは意外と早い段階で経験するものだ。それは、一人前の研究者になる前に訪れる。いわゆる「M2病」である。大学院に進んで二年目の修士二年生（M2）ごろの学生が陥りやすいスランプ状態だ。

学部を卒業して院生になったばかりのころは、みんな素人同然なので「こんなことをやりたい」「あんなこともできるはずだ」と無邪気に妄想を広げることができる。教員から見れば「それはもうとっくにやられているなあ」という話も多いけれど、そうやって「やりたいこと」を素直に考えるのは悪いことではない。むしろその大胆さや素人感覚は大事にしたほうがいい。

ところがM2ぐらいになると、専門分野の論文などにもそれなりに目を通しているので、自分が思いつくようなことはたいがいすでに先行研究があるとわかってくる。すると、一年前のように無邪気にはアイデアを考えられない。自分に残されたフロンティアなど世の中にはもう存在しないかのような気分になってしまう。それで何をやるべきなのかわからなくなり、一種のスランプ状態になってしまうわけだ。

でも、それを乗り越えたところに本当の研究者への道がある。一人前の研究者は、世の中のさまざまな先行研究を知り尽くした上で、なおも新しいフロンティアを切り拓く。周囲には、その発想が「素人のような無邪気さ」に見えるかもしれないけれど、学部を出たばかりの院生と同じではない。「玄人」になっても無邪気さを維持するには、やはり日頃のトレーニングが必要だ。悪魔度は仕事をしているうちに自然に鍛えられるが、天使度のほうは自覚的に磨かないと高まらない。

そのための基本戦略が、「既知×既知」の組み合わせを増やすことだ。専門分野の外にもアンテナを広げて、さまざまな世界の「未知」を自分の「既知」としてインプットする。「未知」への感度を磨いておく。それらを組み合わせて、妄想を広げる。

研究者だけではないだろう。ビジネスの現場でも同様のことが言えるのではないか。どんな仕事でも、新しいアイデアの源が枯れたら先には進めない。自分の中の「天使度」を鍛えるのは、未知のものに対する好奇心なのだと思う。

第４章

試行錯誤は
神との対話

1　一回やってみて失敗するくらいがいい

アイデアは、思いついただけでは実現しない。それが形になるまでには、紆余曲折（うよきょくせつ）といったほうがいいようなさまざまなプロセスがある。

技術開発なら、アイデアが固まったところで実験や試作が始まるが、どんなに良いアイデアでも、一発で成功するのは稀（まれ）だ。ほとんどは途中で思いがけない問題が生じる。

それを解決して先に進むには、さらなる「アイデア」が必要になることもある。その壁を突破するひらめきを得るまでに、最初のアイデアを考えるとき以上の「生みの苦しみ」を味わうかもしれない。しかし、これは少しも悪いことではない。私の場合、途中で何も苦労することなくうまくいったときのほうが不安になるぐらいだ。

というのも、良いアイデアは自分だけが思いついているとはかぎらないからだ。新しいアイデアは世界で同時多発的に生まれる。同じ程度の技術水準になれば、同じような「既知×既知」から未知のアイデアに到達する可能性は、思ったよりも高い。つまり、広い世界のどこかに、同じ思いつきを実現しようとしている人間は必ずいると考えたほうがいいだろう。だから、自分のアイデアが一発でうまくいくと、「これだと他の誰かにもできてしまうな」と思ってしまう。実際に先を越されているかどうかはわからないけれど、自分でなくてもできそうなアイデアはオリジナリティが低い可能性があるわけだ。

逆に、一回やってみて失敗したアイデアは、その問題を克服するために新たな工夫をしなければならない。つまりそのアイデアはそれだけ難しく、エンジニアの腕と発想力が問われる。競争が始まるのはそこからだ。

同じようなアイデアは、自分以外にも思いつくことができる。でも、その実現を阻(はば)む壁を乗り越えられるのは自分しかいないかもしれないし、乗り越え方に自分らしさが出せるかもしれない。そう思うと、一回やってみて失敗するぐらいのほうが、やり甲斐のある面白いアイデアのように思えるのだ。

なかなか壁を突破できず、二回、三回とやり方を練り直すことも多い。苦しいと言えば苦しいが、「ここから先はどんなライバルも脱落するはずだ」と思えるレベルに突入すると、逆にファイトが湧いてくる。

もしかしたらこの気持ちは、ライバルの多いスポーツ選手が「こんなに練習してる奴は絶対にいない」と自分を鼓舞するのに似ているかもしれない。その難所を突破すれば自分が「世界初」の発明を実現できるかもしれないのだから、むしろ楽しい。

たとえばＮＨＫの『プロジェクトＸ』のような番組では、企業の開発チームが新製品を完成させるまでの失敗の連続が、「どん底」のように描かれる。その苦境から立ち上がり、根性やチームワークで這い上がるストーリーだ。

でも、あれが現実の雰囲気を再現しているとは私には思えない。実際にそれを手がけた人たちは、どんなに失敗を重ねても結構それを楽しんでいたのではないだろうか。あるいはそのプロセスを楽しいと思えるチームがイノベーションを生み出すのではないだろうか。私にはそんなふうに思える。

2　失敗は課題の構造を明らかにしてくれる

昔から「失敗は成功のもと」と言われるように、「失敗から学んで成長する」とわかっているはずなのに、人はしばしば失敗を恐れてチャレンジをためらう。「成功のもと」ではなく、「失敗したくない」「失敗されては困る」という思いにとらわれてしまう。

イソップ寓話のひとつに「すっぱい葡萄」というよく知られた話がある。原題は「キツネと葡萄」。高い木の枝にぶら下がっている葡萄を狙ってキツネが何度もジャンプするが、どうしても届かない。するとキツネは「この葡萄はすっぱくて不味いんだろう。誰が食べてやるものか」と負け惜しみを言って立ち去る。失敗した者がそれを取り繕うために自己正当化する姿を描いた寓話だ。

これは「認知的不協和」と呼ばれる現象で、「葡萄を取りたい」という目的と「そこに届かない」という自分の能力不足とが協和しないときに、「この葡萄はすっぱい」につまり、「この課題には、もともとチャレンジするだけの値打ちがない」という解釈にすげ替えることで無理やり整合をとってしまう。そのくらい、人は失敗を嫌う。自分が無能だとは思いたくないし、他人からバカにされるのも恥ずかしい。失敗を、取り返しのつかないことだと感じてしまう。

失敗が重要なのは、それが「**自分が取り組んでいる課題の構造を明らかにするプロセス**」だからだ。エジソンは大量の試行錯誤をしたことで知られているが、「私は失敗したことがない。ただ1万通りのうまくいかない方法を発見しただけだ」と言っていたそうだ。失敗は成功のもと、と言われるのも、失敗を通じて課題の構造を明らかにしていった先に解決策があった、ということなのだろう。

最初のアイデアの段階では、その中身の細部までは見えていないものだ。黒澤明監督の映画にしても、「百姓が侍を七人雇い、襲ってくる山賊と戦い勝利する」という一行のクレームができた時点では、上映時間二〇七分という長編作品がどういう構造になるかは必ずしも明確ではなかっただろう。

そこでまずはあらすじを書いて、構造をある程度まで把握してから、シナリオを書く。しかしその段階でも、どこかで辻褄（つじつま）が合わなくなり、構成を見直すことはあるだろう。完成したシナリオに沿って撮影を始めても、きっとさまざまな問題が生じるにちがいない。作品全体の構造は、作業を進めながら徐々に明らかになっていく。それを最後にまとめるのが、編集という作業だ。映画づくりをしたことはないけれど、自分の仕事と重ね合わせて考えると、そういうものではないかと想像できる。

「話の辻褄が合わなくなる」想定外の失敗をしたら、それによって課題の構造がわかり、自分が何をすべきなのかが明確になる。要するに、自分自身のアイデアに対する理解が進むということだ。

3　他人のダメ出しから貴重なアドバイスを得る

身近な例で言えば、自動車教習所で運転を習い始めたときに、課題の構造がわかった感覚を抱く人が多いのではないだろうか。

自分で運転をしたことがないと、さまざまな局面でどんな問題があるのかがわからない。たとえば右折や左折の際にどのあたりの様子が見にくくなるかといったことは、自分で運転して初めてわかる。坂道発進にどんなリスクがあるかなどもそうだ。

それがわかると、自分が歩行者になったときの感覚も変わるだろう。車が来たとき、どちらに避けたほうが安全かといったことを考えて行動するようになったりする。課題の構造が見えたことで、自分のすべきことも見えるようになるわけだ。

研究の場合、論文の査読でも同じことが言える。査読とは、発表前の論文をその分野の専門家が読んで、学術雑誌などに掲載すべきかどうかを判断すること。論文を投稿すると、査読者のコメントのついたものが返ってくる。初めて査読つきの論文を投稿した学生などは、第一線で活躍するプロの研究者から「これもダメ、あれもダメ」

という手厳しい批判を受けて、意気消沈してしまうことも多い。

しかしこれは、いわば駆け出しのピアニストがワールドクラスの有名な音楽家に演奏を聴いてもらい、アドバイスを受けるようなものだ。査読を依頼されるほどの一流の研究者に論文を読んでもらえるだけでも価値がある。その上、コメントまでつけてもらえるのだから、こんなにありがたいことはない（しかもタダである）。

そのコメントを読めば、自分が気づいていなかった課題の構造が見えてくることもあるだろう。課題をクリアするために自分が何をすべきなのかも明らかになる。クレームが十分に整理されておらず、査読者にそれが伝わらなかった場合もある。「ああ、こういうふうに解釈されてしまうんだ」と納得し改良していくことは「プロの論文の書き方」を学んでいることになる。

だから、リジェクト（不採用）になるのを怖がることなく、書いた論文はどんどん投稿すべきだ。もし一発で通ってしまったら、むしろ重要なことを学ぶチャンスを逸したと思ったほうがいいぐらいである。

学生の中には、問題点を指摘されることに極端に弱いタイプの人間もいないわけではない。研究発表などで足りない点を指摘されると、すっぱい葡萄の逸話のように

「自分がなぜそれをする必要がないのか」について滔々と論理立てて語ったりする。その指摘を受け入れると自分の研究が終わってしまうかのような勢いだ。

もちろん四〇代や五〇代になっても批判されると逆上する人はいるので、今の若い世代にかぎったことではない。ただ、学校でも家庭でもいわゆる「褒めて育てる教育」ばかりしていると、ダメ出しへの耐性が身につかないような気がしなくもない。失敗を悪いことだと考えるから、「褒める教育」ばかりが持て囃されるのではないだろうか。問題点を共有して一緒に改善していく、むしろ「失敗を褒める教育」をすべきなのかもしれない。

また、**失敗は「挫折」とは違う**。よく言われるように、一流のバッターでも一〇回のうち六回以上は失敗する。いちいち挫折感を味わって落ち込んでいたのでは、野球などやっていられない。その失敗によって課題を理解し、次に自分がやるべきことを明らかにして取り組めば、打率は上がる。研究者もそれは同じだし、仕事とはみんなそういうものだろう。そして、失敗ゼロで常に完璧にやれる仕事は、たぶん楽しくない。

4 見る前に跳べ――「GAN」考案者の一パーセントの汗

失敗やダメ出しを怖がる人は、そもそもアイデアの実行になかなか着手しない。じつはそれがいちばんの問題だ。

慎重な行動を美徳と考えて「自分は熟考型なんだ」などと思っている人もいるだろう。しかし「石橋を叩いても渡らない」とでも言わんばかりに時間をかけて熟考していると、打席に立つ回数は増えない。「見る前に跳べ」という題名の詩や小説があるが、**良いアイデアを思いついたら様子を見ていないで手を動かすことだ。**手を動かしていれば、たとえ失敗しても熟考の何倍もの発見があるだろう。

これは前にも話したが、料理の素材と同じで、アイデアも鮮度が大事だ。思いついたら、フレッシュなうちに手を動かして調理を始めたほうがいい。「この葡萄はなぜすっぱいのか」と食べもしないで理屈を立てている時間があったら、梯子(はしご)を持ってくるでも何でもして、とにかく葡萄を取ってしまったほうがいい。そういうスピード感の重要性を思い知らされるエピソードがある。二〇一四年に発表された「GAN」というＡＩアルゴリズムの研究をめぐる話だ。

少し前から、「この世に存在しない人間の顔写真」をネット上でよく見かけるようになった。存在しないのだから「写真」と呼ぶべきではないかもしれないが、どう見ても実在するようにしか思えない不思議な画像だ。それを作るのに使われているのが「ＧＡＮ」（Generative Adversarial Networks＝敵対的生成ネットワーク）である。

複雑そうな名前だが、アイデア自体はシンプルだ。用意するのは、二つの相反するニューラルネットワークだ。ひとつは、何かを「本物」っぽく作ろうとするニューラルネットワーク。もうひとつは、それが作ったものの「嘘」を見抜こうとするニューラルネットワーク。いわば泥棒と警官のような関係だと思えばいいだろう。一方が本物と見分けのつかない精巧な偽札を懸命に作ろうとするのに対して、もう一方は偽札と本物の違いを懸命に見つけようとする。それを戦わせるから「敵対的」という。戦いのレベルが上がるにしたがって、「偽物」はどんどん「本物」に近づいていく。そうやって作ったのが、「この世に存在しないけど超リアルな人間の顔」だ。

これを考案したのは、イアン・Ｊ・グッドフェローという若き天才だった。グッドフェローは仲間と一緒に夕食をとりながら話をしているうちに、このアイデアをひらめいたという。そして食事を終えると、すぐに思いついたばかりのアイデアを試してみた。まさに、見る前に跳んだわけだ。

そこでなかなか良い結果が出たので、グッドフェローはその翌日にすぐ論文を書いて発表した。[※1] そのときの経験を、彼はこんな言葉で表現している。

「九九パーセントの霊感と、一パーセントの発汗」

これはエジソンの有名な「発明とは一パーセントの霊感と九九パーセントの発汗」をひっくり返した言い方だが、大事なのは、この「発汗」だ。**「このアイデアは面白そうだけど、本当にうまくいくだろうか」**などと、じっと熟考するのではない。**ダメ元でもいいのでまず手を動かしてみる。**実際、一パーセントの発汗でも先延ばしにしてやらない人は多い。そこで慎重に熟考していたら、せっかくの霊感も鮮度を失ってしまったかもしれない。

もちろん、翌日に書いた最初の論文はまだ不十分なものだ。そこで完璧にシステムが完成したわけではない。敵対的生成ネットワークが機能することは証明されたが、欠陥もあった。でも、こういうインパクトのある論文は研究者コミュニティの中で一気にバズる（拡散する）ので、みんながいろいろな実験を始める。それによって問題点が次々と解決され、ＧＡＮはあっという間に使えるネットワークとして普及していった。

この話だけ聞くと、「やっぱり天才にはかなわない」と思う人もいるだろう。しかし想像するに、いくら天才とはいえ、グッドフェローがいつもこのやり方で成功を収めているはずはない。同じように何かを思いつき、速攻で実験してみたものの、完全に空振りに終わったという経験をきっと何度もしていることだろう。そうやって何度も打席に立っているから、ＧＡＮのようなホームラン級の成功が飛び出すのだと思う。

失敗に終わったこれまでの「発汗」もカウントすれば、「九九パーセントの霊感と一パーセントの発汗」ではなく、「五〇パーセントの霊感と五〇パーセントの発汗」となり、結局はエジソンの言う「一パーセントの霊感と九九パーセントの発汗」ぐらいになるかもしれない。

「思いついたらとにかく手を動かす」のは、アイデアを形にする上でそれぐらい大きな比重を占めていると私は思う。

5　「眼高手低」の二つの意味

眼高手低（がんこうしゅてい）、という中国の故事成語をご存じだろうか。

「眼」は、たとえば美術や文学の鑑賞力や批評力など物事を評価する力のこと。「眼力」「目が肥えている」というときの「眼」だ。一方の「手」は、何かを創作する技能や能力のこと。その「眼」が高くて、「手」は低い。つまり「批評は上手だが実際に作らせると下手」という意味だ。口では立派な能書きを垂れるけれど、いざ自分で作ってみると実力のない「口先だけ」みたいな人を揶揄（やゆ）する言葉である。「眼高手高」を目指すべきだ、ということだろう。

ところが、この眼高手低を別のニュアンスで使った人がいる。生活雑誌『暮しの手帖』の創刊編集長として有名な花森安治（はなもりやすじ）だ。

花森さんは「手低」を「現実の生活にしっかりと着地している」という良い意味でとらえた。すると眼高手低は同じ「眼は高く、手は低く」でありながら、「高い理想を持ちながら、現実もよくわかっている」といった褒め言葉になる。花森さんはそれを『暮しの手帖』の編集方針にしていたそうだ。

これはエンジニアにもそのまま当てはまる。「眼」は妄想やアイデアのことだ。天使度や悪魔度なども含めて、理想は高いほうがいい。しかし、熟考ばかりしてアイデアを実行に移さないのは、口ばかりで現実に着地しないという意味で「眼高手高」でもある。とにかく手を動かして試してみる姿勢は、やはり「手低」のイメージだ。

その能力は「高」であってほしいが、高いところ（頭の上とか）に置いて考えているだけでは何も始まらない。そのまま「お手上げ状態」になってしまわないよう、せっせと手を動かす。それが研究の推進力になるはずだ。

もちろん、手を動かしてうまくいかないこともある。

逆に言えば、**手を動かさないと失敗さえできない。失敗によって問題の構造が見えてくれば前進だ。**うまくいかないなら、その問題を解決する方法を考えながら、また手を動かせばいい。

そういう試行錯誤をどこまで続けられるかが、技術開発の勝負どころだ。さっきも話したように、試行錯誤の回数が増えるほど、同じことを考えているライバルは脱落していく（はず）。二つか三つの試行なら誰でもできるだろうが、一〇〇個のやり方を試すことのできる人間はそういない。

「眼高手低」。妄想の天使度は高く、手は低いところで動かし続けたい。

6　手を動かし続けられるのも才能

その意味では、新しいアイデアを生む才能より、手を動かし続ける才能のほうが、競争に勝つには重要だとさえ言えるだろう。

スポーツの世界でも、センスは誰よりもあるのに練習が嫌いなせいで実力が伸びない選手がかなりいると聞く。それはやはり、ある種の「才能」がないということだ。努力は誰にでもできると思われているけれど、じつはそれこそが才能なのだという研究もある。

私たちがコツコツと手を動かすのは、大胆な「天使」よりも、細心な「悪魔」のイメージに近い。悪巧(わるだく)みは、細かいところまで目配りして抜かりなく事を進めなければいけない。

エンジニアはべつに悪事を働いているわけではないけれど、手を動かして試行錯誤をくり返しているときは、そんな気分になっている。それを楽しめるようになれば、試行錯誤が続けられるようになる。

住む世界は違うが、野球のイチローさんにも同じものを感じる。とにかく練習が好きなように見える。いろいろな工夫をしながら練習方法を貪欲に改善することを楽しめるのが、彼の強みだろう。テレビで見ていると、練習について語るときの彼は目が輝いている。まるで成績を上げるために練習しているのではなく、練習の質を上げるために成績を上げているようにさえ感じる。現役を引退してからも練習を続けているのだから、あながち間違いではないだろう。

でも、それはイチローさんだけではないのかもしれない。

そういう彼のスタイルは、昔のプロ野球選手と違って見える。たとえば王貞治さんが一本足打法を確立するまでの話は、それこそ『プロジェクトX』のように「苦労」「根性」「忍耐」といったキーワードで語られがちだ。

しかしそれは世間がそう見たがっていただけのことで、じつのところ本人はそのための試行錯誤が楽しくて仕方がなかったのではないだろうか。テレビに映らないところでは、もしかしたら悪魔のような笑みを浮かべながらバットを振っていたかもしれない。

7 試行錯誤とは「神との対話」である

試行錯誤は、傍から見れば地道な作業だろう。でも、地道に手を動かすことによって、さらに別の妄想が湧いてくることもある。また、問題の構造を理解して「ああそうか、この手があったのか！」と解決策を思いついたときは、「既知×既知」の組み合わせから新しいアイデアを思いついたときと同じように気持ちがいい。悪魔のように細心に作業をしながらも、天使が微笑んでくれる瞬間があるわけだ。

だから私は、**何度も失敗を重ねながら手を動かす時間は「神様との対話」をしているのだと思っている。天使のようなひらめきは、腕を組んで考え込んでいてもやってこない。**手を動かしながら、神様に向かって「こうですか？　これじゃダメですか？　やっぱり違いますか？」などと問いかけ続けると、いつか神様が「正解はこれじゃ」とひらめきを与えてくれる。そんなイメージだ。

試行錯誤が神との対話に見える好例として、やや長くなるが『調理場という戦場「コート・ドール」斉須政雄の仕事論』（幻冬舎文庫、斉須政雄著）からの一節を引用したい。これは、後にパリの三ツ星レストランのオーナーシェフとなるベルナール・パコーという天才料理人が、新しい料理を作り出しているプロセスを描いたものだ。
〈まず彼は、最初の方法を一日でやめた。一日でやめる決心は、なかなかつかないですよ？　なのに彼は次の日にはもう、静かに隅っこの方で皮をきちんと剝いた違う方法を試していた。
　そして、操作の手順に無理がない。無理をしないで、固執しないで、くまなく方法を試しているんですよ。赤ピーマンの皮を剝いてみるだとか、焼いて真っ黒になった皮を水で流して取って、そのあとに中のものを抜いてコンソメで煮てみるとか。
「この方法、よくないな」と思ったら違う方法にすぐに移る。彼の方法の推移が劇的にいい結果を生んでいるのを、目の当たりにしました。ダメだと思ったら引いて、別なことをやってみるというのを、絶えず、しかも静かに持続しているのです。（中略）
　そういう静かな改良の積み重ねによって、彼は最終的には驚くほど革新的な料理に仕上げていました。〉
　ひらめきと聞くと、何かが突如として訪れるような印象を抱いている人も多いだろう。アルキメデスが「ユリイカ！」と叫んだというエピソードの影響もあるのかもしれない。風呂にゆっくり浸かっているときとか、トイレで座っているときとか、ぶらぶらと散歩をしているときなど、リラックスしているときにひらめきが訪れる――そういう幻想が根強くあるような気がする。

でもアルキメデスだって、それまで何もしていなかったわけではないはずだ。浮力の原理を見出すために、あれこれ問題解決のための試行錯誤をしていたからこそ、水位が上昇した分の風呂のお湯が自分の水中の体積と等しいことに気づいたにちがいない。

私もぶらぶらしているときに新しいひらめきを得ることはあるけれど、それも手を動かしているときの記憶が頭に残っているからだ。神様から声がかかるのは、研究室での作業中とはかぎらない。

8 自分の「やりたいこと」とは、自分の手が動くこと

そういうひらめきを得ながら、試行錯誤を重ねてゴールまで到達する経験を一度でもすると、自信が持てるようになる。そういう成功体験がなく、失敗に嫌気がさして途中で投げ出してしまうことが何度かあると、逆に自信を失ってしまう。そういう好循環を起こすには、とにかく一度は放り出さずに最後までやり切る経験をしたほうが

いい。

それがどうしてもできないとしたら、自分の取り組んでいることが本当に「やりたいこと」なのかどうかを再点検してみる。

人からやらされることはそんなに長く続けられない。「こんなの自分には難しい」と思ったら、放り出したくもなるだろう。学校の勉強と同じだ。

でも、自然に手が動いてしまうような、好きでやっていることは、いつまでも続けられる。人から「もうやめなさい」と言われてもやめたくない。

私も、自分の妄想から生まれたアイデアを実行に移すとなったら、自然と手が動いている。一行のクレームに落とし込む前のモヤモヤの段階で、すでに何となく手を動かしていることもめずらしくない。「やりたいから手を動かす」「やりたいというモチベーションがあるから手を動かす」というより、「手の動くことが自分のやりたいこと」「手を動かしているうちにだんだんモチベーションが上がってくる」と言うこともできるだろう。

そうだとすると、自分の「やりたいこと」が見つからないという人は、今の自分が何に手を動かしているかを考えてみるといいかもしれない。「何がやりたいの？」と聞かれて、いきなり「世界人類の役に立ちたいです」などと大言壮語するより、まずは自分の手元を見る。人間、やりたいことはすでにやっているものだ。

それは直接クレームになるものではないかもしれないけれど、そこから妄想が広がることはあるだろう。問題解決の糸口となるひらめきだけでなく、アイデアの種となる妄想もまた、手を動かすことで生まれる。**「眼高」は「手低」の前にあるとはかぎらない。「手低」が「眼高」を呼ぶこともある。**

眼高手低という言葉は、その両者を行き来することの大切さを伝えているのかもしれない。

※1 Ian J. Goodfellow, Jean Pouget-Abadie, Mehdi Mirza, Bing Xu, David Warde-Farley, Sherjil Ozair, Aaron Courville, Yoshua Bengio, Generative Adversarial Networks, arXiv:1406. 2661 (2014)

第5章

ピボットが生む意外性

1　自分のアイデアはかわいく見えるという認知バイアス

前章の終わりのほうで、私はこんなことを伝えた。

「地道に手を動かすことによって、さらに別の妄想が湧いてくることもある」

ひとつのアイデアを形にしようと試行錯誤をしているうちに、そこから別のアイデアが生まれることは少なくない。これが、ひとつの転機になり、意外な発明につながることがよくある。そこでこの章では、試行錯誤の方法のひとつ、ピボット（方向転換）について考えてみたい。

前述したとおり、アイデアを形にするためには、失敗を重ねながらも試行錯誤をくり返すことが大事だ。だが、アイデア自体は良くても、実現が難しいこともある。あるいは、最初に思ったほど面白いものにならないことが見えてくることもあるだろう（そういうことを知るために試行している面もある）。その場合は、当初のアイデアに見切りをつけなければいけない。いくらも試さないうちに「これは無理だ」とあっさり放り出すのは、もちろん論外だが、でも、どう考えても可能性が低そうなアイデアをいつまでも引っ張っていたのでは時間の無駄だ。

とはいえ、この判断は簡単ではない。そもそも自分が面白いと思って始めたことだから、諦めたくない。誰だって、自分の考えたアイデアはかわいい。自分が思いついたことは他人より良く見えてしまうものだ。

しかしそういうときこそ、それを続けるのが本当に合理的な判断なのかを自問自答する必要がある。**人間の思考や認知には、さまざまなバイアスがかかっていることを知っておこう。**理性的に考えているつもりでも、じつは不合理な感情に流されていることも多い。

2　「コンコルドの誤謬」に学ぶ勇気ある撤退

そういう認知バイアスのひとつに、「コンコルドの誤謬（ごびゅう）（もしくはコンコルドの錯誤）」という異名を持つものがある。正式な経済学用語としては「サンクコスト（埋没費用）効果」という。

埋没費用とは、事業などに投下した費用（資金や労力など）のうち、途中で中止や撤退をすると戻ってこないコストのことだ。それを捨てても撤退したほうが合理的なのに、「これだけ投資してきたのだからやめるわけにはいかない」と考えて続行してしまうのが、この認知バイアスである。

たとえばギャンブルでさんざん負けているのにやめられないのが、典型的なパターンだろう。途中で引き下がったのでは、それまでの賭(か)け金を回収できない。だから、勝つまでやろうとする。結局さらに負けが込んで、損失を増大させてしまうわけだ。

一九六〇年代にイギリスとフランスの共同開発が始まった超音速旅客機コンコルドは、まさにこのサンクコスト効果によって、撤退のタイミングを見失った。だからこの認知バイアスにはそういう異名がついている。

コンコルドは開発の途中で、費用の高騰や航空機へのニーズの変化など、さまざまな問題点が浮上した。ところが、「今すぐに中止したほうが、違約金や賠償金を払っても安く済む」という試算が出たにもかかわらず、無理やり最後まで突き進んでしまったのだ。結局、採算を取るには二五〇機が必要だったにもかかわらず一六機しか製作されず、プロジェクトは大赤字で終わっている。まったく他人事(ひとごと)ではない話だ。

自分のアイデアもそれと同様、試行錯誤を重ねていろいろな工夫をすればするほど、「ここまでやってきたのだから」と思って中止しにくい。だから、無駄を最低限に抑えるには、撤退する勇気も必要なのだ。

3　環境が整わない場合は、いったん眠らせておく

うまくいかないアイデアを完全に捨て去るのが惜しいなら、「いったん眠らせておく」という方法もある。私自身、それは何度もやってきた。時間や人員のリソース不足で手が回らなくなった案件を、いったん脇に置くのだ。

ただしアイデアの権利などは守らなければいけないので、論文を発表したり、特許を申請したりはしておく。これを業界用語で「成仏させる」というのだが、そのままあの世に行ってしまうわけではない。時が来れば、復活する可能性は残してある。なので、私の中には「眠らせている」アイデアも無数にある。

技術開発は自分ひとりで完結するものではない。その成否は、世の中の情勢や価値観の変化などの外部環境にも左右される。

コンコルドの場合は、開発途中で航空機業界が旅行の大衆化へ舵を切り、低コストで大量輸送が可能な旅客機が求められるようになったことで、超音速旅客機へのニーズが失われた。開発計画が時代に追い抜かれてしまったわけだ。

それとは逆に、時代がそれに追いついていないアイデアもある。時代を先取りしすぎていると、社会のニーズがなかったり、インフラが整っていなかったりするので、使えない。たとえば三〇年前にフェイスブックのようなSNSのアイデアを思いついても、それを実装できるようなインフラがないので、無理やり実現しても成功はしなかっただろう。

実際、インフラが整備されたおかげで新しいアイデアが実用化されると、あちこちから「あれは自分も考えていた」という声が聞かれるものだ。発明はタイミングが大事、という面があるのは否めない。でも、だからこそ「眠らせておく」ことにも意味がある。今できないことでも、二年後には別のイノベーションによって、できるようになるかもしれない。それを待ちながら、別のアイデアを実行に移せばいいのだ。

4 スマートスキンの研究は「通信」から始まった

一方、いったん眠らせるのではなく、そのアイデアを別の形で活かす道もある。いったん立ち止まって、ピボット（方向転換）するのだ。試行錯誤の最中に浮かんだ別の妄想は、その大きなきっかけになる。

じつは私がスマートスキンを発明したのも、途中でピボットした結果だった。いろいろなエピソードがあるので少し長くなるかもしれないが、ここでその顚末（てんまつ）を述べていこう。

テルミンという不思議な楽器がある。本体に手を触れることなく、アンテナ型の電極に手を近づけたり遠ざけたり、その向きを変えたりすることで、音の高さや大きさをコントロールする楽器だ。ロシア（ソ連）の物理学者レフ・セルゲーヴィチ・テルミンが、一九一九年（一九二〇年の説もあり）に発明した。世界初の電子楽器である。その意味でも、歴史的に重要な発明と言えるだろう。

唐突にテルミンの話をしたのは、それに興味を持ったのがスマートスキンの発明につながるアイデアの入口だったからだ。

テルミンには、音の高さを決める垂直のアンテナと、音量を決める水平のアンテナがある。そのアンテナと手のあいだに蓄えられる静電容量の変化を利用するのが、この発明のポイントだ。

静電容量とは、コンデンサなどに蓄えられる電荷の量のこと。静電容量を計測するために、アンテナからは微弱な電界（静電界）が発生している。私は、この静電界を使って、アンテナをグリッド状に配置したテーブルと「二次元通信」ができるのではないかとまず考えた。それが最初の思いつきだ。「テーブルに機器を置くと、テーブルと機器とが通信でき、その機器の位置もわかる」というのがクレームになるだろう。

たとえばテーブルのようなコンピュータ画面を、たくさんの電極線で縦と横に分割する。テルミンの垂直アンテナと水平アンテナを二〇〜三〇本ほど敷き詰めて座標を作るようなイメージだ。縦のマス目を数字、横のマス目をアルファベット順にすれば、座標の交点は「3のB」「7のH」といった具合に指定できる。そこに物を置くことで静電容量が変化すれば、その位置情報をテーブルに伝えることができるだろう。たとえばテーブルのある場所にパソコンを置くと、そのテーブルとパソコンのあいだで通信（情報のやりとり）が始まる。物のある位置を狙って情報を送れるわけだ。

簡単に言うと二次元通信とはそういうことなのだが、技術的にはわりと複雑な話なので、悪魔度はかなり高いアイデアだ。だから同業者には「なるほど」と頷いてもらえるはずだが、一方、天使度は高いとは言えない。クレームを今振り返ってみても「通信と位置認識がいっぺんにできる嬉しさは何か」「機器の位置がわかるとどう嬉しいか」「別の手段で位置を認識して、通信はふつうの無線でやればよいのではないか」などをもっと明確にすべきだと思う。玄人向けではなく、素人が聞いてもぱっとわかるように、もっとシンプルに切り込む必要がある。

5　論文〆切の三カ月前の方向転換

そこで私は、より天使度の高い方向にピボットすることにした。

画面上に物を置いたりするのではなく、「指」で触ってコントロールするだけにしたのだ。すでにタッチパネルは存在していたが、それは一本の指で触って操作するもので、複数の指（マルチタッチ）で操作するものはまだない。自分のアイデアは、それを可能にするものだった。

技術的には、じつは物より指のほうが簡単だ。物（たとえばパソコン）と物のあいだの通信は精密な制御が求められるが、指とテーブルならそうでもない。

しかし、それによって何ができるかは、どんな素人にも一目瞭然だろう。まさにテルミンの音が手の動きによって変わるように、コンピュータの画面を指で広げたり縮めたりできる。大人はもちろん、これは二歳児でも「すごい！」「面白い！」とわかるにちがいない。天使度が上昇した。

前にも書いたとおり、論文の〆切は二〇〇一年九月二〇日だった。そこに向けて、まずテルミンから二次元通信のアイデアを思いついたのは、その年の三月頃だっただろうか。そこからしばらく手を動かしているうちに、「天使度」不足が気になり始めた。難しいことをしているわりにどうも思ったほど面白くない。

そこでアイデアの方向をマルチタッチに切り替えたのは、たしか論文〆切の三カ月ほど前だったと思う。それぐらいのタイミングでピボットするのは、それほどめずらしいことではない。よくあることだ。

とはいえ時間に余裕があるわけでもないので、九日後に〆切を控えていたあの日の夜も、ソニーＣＳＬの研究室で論文を書いていた。突然、部屋に同僚（イワン・プピレフ、現在はグーグルの研究員）が現れて「暦本さん、大変だよ！」と告げられたのは、夜の一〇時ぐらいだったと記憶している。テレビを見て、ニューヨークで何が起きたかを知った。さすがに強いショックを受けてしまい、もう論文どころではない。続きを気にしながらも、その日は家に帰った。

でも、その影響で混乱したのは私だけではなかった。論文の投稿先であるＡＣＭという国際学会は、本部がニューヨークにある。あの同時多発テロを受けて、ＡＣＭは論文の〆切を一週間先送りすることを発表した。ＡＣＭのようなトップクラスの学会が論文の〆切を延ばすことはまずあり得ないことだが、さすがにそうせざるを得ないほどの大事件だったということだ。

6　ピボットで天使度を上げる

ちなみに、当時はまだ論文を「紙」に印刷して投稿していた。ただ、送ったのは紙だけではない。その研究で何ができるのかは映像で見てもらうと（それこそ二歳児でも）一発でわかる。紙の論文のコピー五部のほかに、ＶＨＳビデオも五本ダビングした。それをニューヨーク時間の〆切に遅れないタイミングで東京から発送しなければいけなかったのだから、何でもネットで瞬時に送ることのできる今とは事情がずいぶん違う。

その学会では、投稿された論文を五人の査読者が五点満点で評価する。二点以下だとリジェクトという評価なので、たとえば五人の点数が「２３２２３」ぐらいだと厳しい。五点満点をつける査読者はなかなかいないので、「３４３４」ぐらいならかなりの高評価だ。しかし私のスマートスキン論文は、そういう問題はなかった。たしか「５５５４」ぐらいの査読結果だったと記憶している。ほぼ「オール５」に近い評価だ。それなりに自信があったので一点や二点はつかないだろうと思っていたが、そこまで高く評価してもらえたのはかなり嬉しかった。

自信があった理由のひとつは、「ソフト」と「ハード」の両方をまとめて開発した論文だったこと。私の専門分野ではどうしてもソフト開発の研究が多くなるのだが、そのときはソフトだけでなく、インプットデバイスを回路設計から電子基板まで自作した。

そういうハードだけの論文もないことはないけれど、その場合は技術的な悪魔度は高い一方で、「これでどんな面白いことができるのか」という天使度が低いことが少なくない。でもスマートスキンは、指によるピンチングというシンプルな手法で、それまでのマウスではまったくできないような新しい基本動作を可能にするものだった。ハードとソフトの両方が揃っていたという点で、めずらしい存在だったと思う。ピボットした目的もそこにあったから、それが認めてもらえたのはありがたかった。

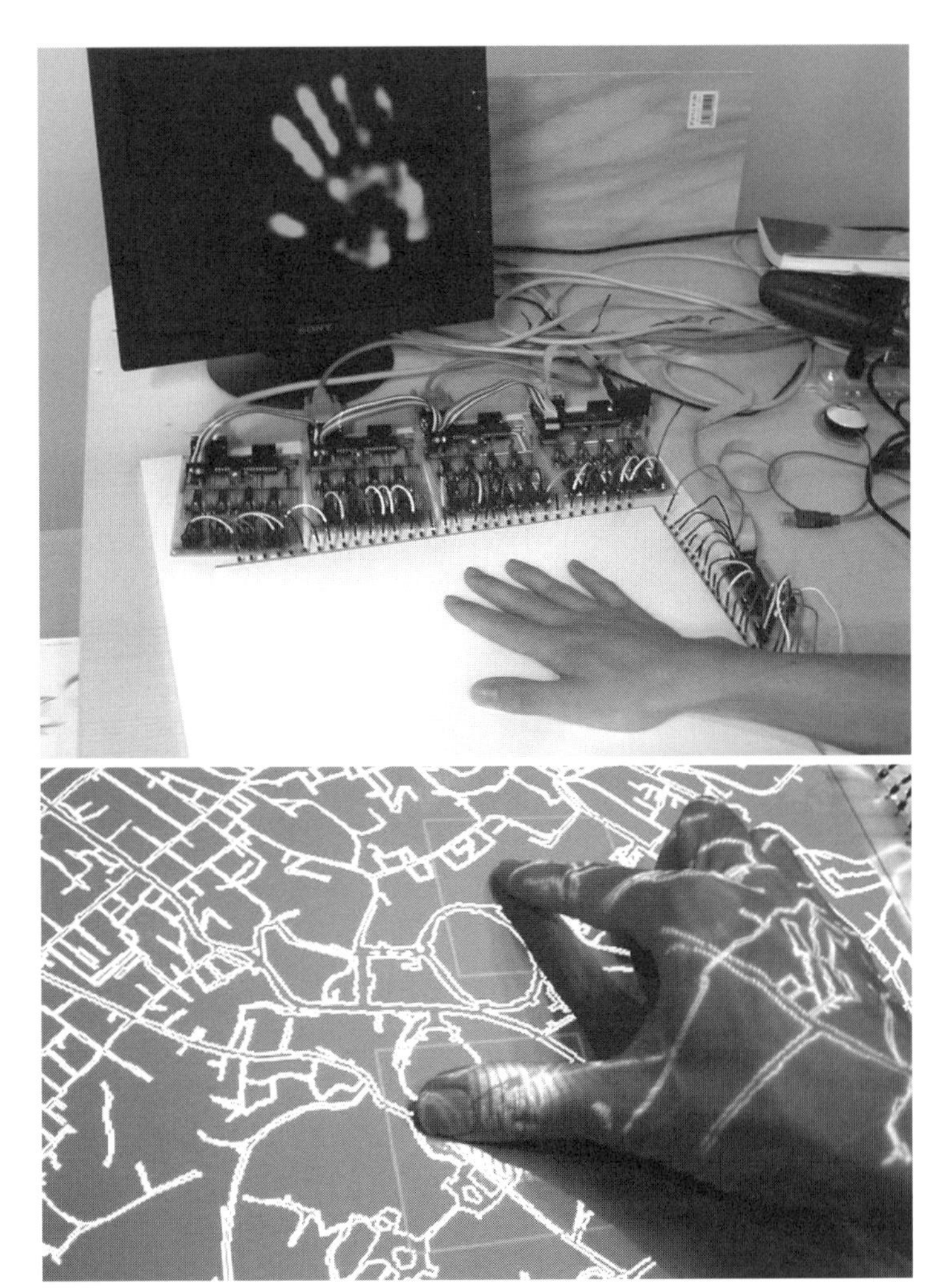

スマートスキンによるマルチタッチインタラクション

その後、翌年二〇〇二年の四月には学会で発表。[※1]同じ分野の研究者たちの前で動画を見せながら話をした。会場に集まった専門家たちから「おおっ」という声が上がるのは、やはり嬉しいものだ。デバイスを制作するために、コツコツと夜中までハンダづけをしていたのが報われた、と思える瞬間である。

7 ジョブズとの特許侵害騒動

という次第で、論文自体はピボットしたおかげで成功に終わったが、現実の商品での実用化が難しい。まだスマホやタブレットのようなものがない時代だ。マウスに取って代わるインプットデバイスになるような予感はあったものの、すぐにそういう使い方ができるわけではない。

しかし、何しろ二歳児にも面白さがわかる発明だ。みんなに見てもらってその面白さを共有してほしいので、お台場にあるソニー直営の商業施設「メディアージュ」に、スマートスキンを使ったゲームをデモ展示した。けっこうな人たちが集まって、面白がって遊んでくれた。今は誰でも当たり前に使っているけれど、コンピュータ・グラフィックスが指で大きくできるなんて、当時はみんな初体験で、ビックリするのも当然だ。

でも結局、その発明を最初に商品化したのはアップルだった。

私自身は、新しいインプットデバイスを発明できたことに満足していたので、そんなに強いショックを受けたわけではない。初代のｉＰｈｏｎｅが発表されたときは、「ああ、ついに出たか」と思った程度だ。

ジョブズがすごいのは、何もないところから商品化したことだ。ｉＰａｄのようなものがあれば、それにスマートスキンを入れ込もうという発想になるのだろうが、何もないとなかなか想像ができない。今では、我々もｉＰｈｏｎｅやｉＰａｄがある前提で考えてしまうが、何もなかったところからｉＰｈｏｎｅを作るというのは、すごいイノベーションだと思う。

スマートスキンの技術は、最初のｉＰｈｏｎｅから使われたので、写真が複数の指の操作でなめらかに大きくなるのを見たときに、みんなのけぞって驚いたのだ。それまでズームボタンなどで画像を2倍2倍というように動かしていたものが、指で動かせるのだから。

ところが、私と関係のないところで特許侵害をめぐる訴訟が起こった。訴えられたのはアップルではない。アップルが、スマートフォンのライバルであるアンドロイドを作っているモトローラを訴えたのだ。アンドロイドに搭載されたマルチタッチ技術はアップルのものだから特許を侵害している、という。

そういう話になったので、私も少し巻き込まれることになった。当時モトローラはグーグル傘下にあったため、グーグルの顧問弁護士から協力を要請されたのだ。そもそもｉＰｈｏｎｅで使った技術がアップルのオリジナルでなければ、モトローラは訴えられる筋合いがない。それを証明するために、アップルが暦本のアイデアを使ったことを裏付ける証拠がほしかったわけだ。私自身はその訴訟で損も得もしないけれど、自分が何を発明したのかを聞かれれば答える責任がある。だから、論文にも書いたプログラミングのソースコードなどを証拠として提出した。

その訴訟はいろいろな要素を含む複雑なものだったから、それ以外にも多くの証拠が提出されただろう。その中で、私の出した証拠もモトローラにとって有利な材料として働いた。結局、アップルが訴訟そのものを取り下げる形でこの争いは終わっている。

もしモトローラが敗訴していたら、マルチタッチ技術はアップルが独占し、他社のスマートフォンやタブレットでは使えなくなっていたかもしれない。

8　実験中の不思議な現象から生まれた「Traxion」

ピボットのきっかけは、いろいろあるだろう。スマートスキンの場合は、私自身が「あんまり面白くない（天使度が高くない）な」と思ったのがきっかけだ。しかし中には、試行錯誤の途中で起きた偶然によって方向が変わったものもあると思う。たとえば化学の実験でも、薬品の調合を間違えたおかげで面白いものが出来上がり、目論見（もくろみ）とは違う成果が上がるようなことがあるに違いない。

偶然によるピボットといえば、数年前にこんなことがあった。

そのとき考えたのは、「振動によって人を誘導する」というアイデアだ。たとえば視覚障害者が使用する白杖にそのデバイスを仕込んで、地図アプリのようなものと連動させる。白杖を進むべき方向に向けたときにブルブルッと振動して知らせれば、目的地まで誘導することができるだろう。

しかしその実験中に、妙な現象が起こることに気づいた。デバイスが振動すると、手がある方向に引っ張られるように感じる。最初は気のせいだろうと思ったけれど、何度やっても引っ張られているとしか思えない。

自分の感覚がどうかしてしまった可能性もあるので、学生たちを集めて試してもらった。やはり、みんな「ああ、引っ張られますね」と言う。

そこで、どういうことなのか調べてみた。振動の波形を見てみると、その現象が起きるときは非線形になっている（145ページ図）。コイルに与える電流パルスのオン・オフを工夫すると、大きな加速度と小さな加速度を特定の方向に発生させられることもわかった。

先行研究をサーチすると、非線形な振動によって引っ張られるような感覚が生じること自体は昔から研究されていた。しかしこのデバイスのように簡単な仕組みで、このような「仮想力覚」を発生させるアイデアはまだ誰もやっていない。

その時点で、当初の計画は忘れることにした。白杖も何もなしにして、この「仮想力覚提示デバイス」の原理だけに内容を絞ったほうがシンプルでインパクトも強い。論文の〆切まで、あと二週間だった。スマートスキンのときよりもはるかにギリギリのタイミングでのピボットである。

なぜシンプルな原理だけのほうがインパクトがあるかというと、そのほうが応用範

Traxion

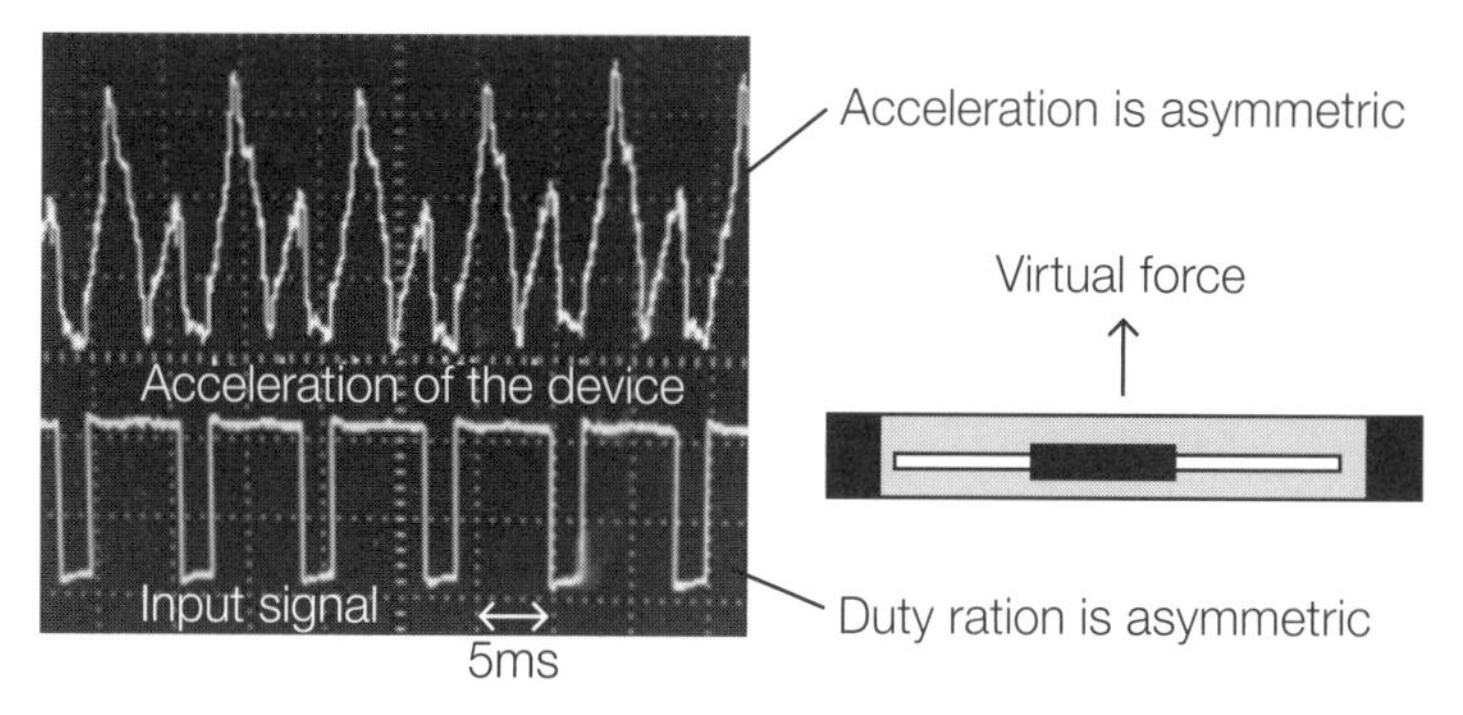

実験中の現象から「仮想力覚」にピボットした。
（上）誘導実験をすると、引っ張られるように感じる。
（下）その理由は、振動の非線形にあった

囲が広いからだ。当初の目論見どおり、これは道案内にも使える。単に振動するだけでなく、正しい方向に引っ張らせることができるのだから、よりリアルな「誘導」とも言えるだろう。でも、それだけではない。「仮想」の力を生み出せるとなると、エンターテインメントにも応用可能だ。たとえばアスリートが感じている力を再現できるかもしれないし、CGキャラの身体感覚を疑似体験することもできるだろう。

しかし、何しろそこで生じる「引っ張られる感覚」は実体のないイリュージョンなので、論文で証明するのが難しい。感覚は人の主観なので、心理学のような実験が必要だ。実物のおもりで引っ張られたときの感覚と、それと同じ大きさの「仮想力覚」をデバイスで与えたときの感覚が同じかどうかを、被験者を使って確かめたりしなければならない。被験者が「わっ！　ほんとに引っ張られますね！」などと驚いている動画をつけても、「ヤラセじゃないのか？」などと疑われてしまう。

急なピボットだったが、短時間でそういった実験を実施して論文を書き上げた。ぎりぎりで〆切に間に合い、何とかトップカンファレンスを通っている。[※2]何とか、と書いたのはスマートスキンのように全査読者が高い評価をつけてくれたわけではなかったのだ。ただ、「こんなことが起きるわけがない。もし論文をアクセプトするとしても絶対に実物を持ってきて実演することを条件とする」と書かれていたのを見たときには逆ににやにやしてしまった。ちなみにこのデバイスの名称は「Traxion」。「牽引」を意味する「tractor」からの造語である。

のちに、アメリカのスタンフォード大学で講演をしたとき、このTraxionの話をして「あとで実物に触らせてあげます」と言ったら、終了後に学生たちに取り囲まれた。そうやって人をワクワクさせるアイデアは、いずれ何らかの形で実を結ぶと思う。

9　プリンターの技術から生まれた光学マウス

もうひとつ、ある企業の技術開発で起きたピボットの例を紹介しておこう。ヒューレット・パッカードから独立したアジレント・テクノロジー社のケースだ。こちらは、研究の途中でピボットしたのではない。ある機械のために実用化されたアイデアが、次にまったく違うデバイスに活用された。

最初に実用化されたのは、プリンターやコピー機用の紙送りセンサーだ。プリンターは何枚もの紙を連続してプリントするので、一枚のプリントが済んだことを感知する仕組みがないと、次のプリントを始められない。また、紙が詰まって動かなくなったら、作業を止めてエラーシグナルを出す必要もある。

日常的にお世話になっている人は多いと思うが、それがどういう仕組みなのかわかっている人はあまりいないだろう。紙送りセンサーとして使われているのは、じつは低画質の「カメラ」だ。機械の中で移動する紙の様子を、毎秒一〇〇〇回ぐらいのスピードで撮影している。それによって、紙送りが終わったことや止まったことを感知するわけだ。

これはこれで、ある発想の切り替えがないと生まれなかった面白いアイデアなのだが、それについてはあとで触れよう。ここで取り上げたいのは、この紙送りセンサーがピボットして何になったかだ。

結論から言うと、それは「マウス」である。コンピュータのインプットにみんな使っている、あのマウスだ。どこのオフィスにもあるプリンターの紙送りセンサーとパソコンのマウスが同じアイデアから生まれたというのは、じつに面白い。

マウスといえば、昔は裏側にコロコロと回るローラーがついていて、それによって移動を感知していた。若い世代には伝わらないかもしれないが、その部分にホコリなどが溜まるとうまく動かなくなってしまうので、よく仕事の手を止めてローラーのお掃除に精を出したものだ。

そんな作業から人類を解放してくれたのが、「光学マウス」だった。その裏側には、「カメラ」がついている。原理は紙送りセンサーと同じだ。マウスが動いた方向を、それによって感知できる。

しかし、そう言われてみればそうだが、紙送りセンサーの原理がマウスに転用できることに気づいたエンジニアはすごい。プリンターとマウスに同じものが使えるとは、なかなか思えないだろう。

それに、紙送りセンサーは自分は止まった状態で動く紙を見ているのに対して、マウスは自分が動く。相対的には同じこととはいえ、動くほうが自分にセンサーを搭載するというのは、いわゆる「逆転の発想」だ。

いずれにせよ、このピボットによって、この光学センサーの市場規模は数百倍あるいはそれ以上に広がったはずだ。

これは、ピボットの好例であるだけでなく、前に話した「発明は必要の母」の好例とも言えるだろう。プリンターの紙送りセンサーという発明がまずあって、そこから「マウスの光学センサー」という必要が生まれた。いろいろな意味で、エンジニアを勇気づけてくれるエピソードだと思う。

10 トレードオフのバランスを崩す

ところで私はさっき、紙送りセンサーという発明自体も「発想の切り替え」が必要だったと言った。それはどういうことだろう。

先述したとおり、プリンターの紙送りセンサーは「低画質のカメラ」だ。これがごく常識的な意味での「技術の進歩」に反していることは誰でもわかるだろう。カメラの性能は画質だけで決まるわけではないが、従来より画質の落ちたカメラが「進歩した」と言われることは、通常はない。

しかし紙送りセンサーは、極端に画質を落としている。解像度は、16×16の二五六画素。ちなみにiPhone 11 Proのカメラは一二〇〇万画素だ。紙送りセンサーの画像は比較にならないほど粗い。

でも、その「低画質」に大きな意味があった。

解像度を16×16まで落とした代わりに、紙送りセンサーは毎秒数千回というスピードで撮影ができる。ふつうは、かなり高級なカメラでも毎秒三〇回程度だろう。これだけ速いと、画像間のずれを基にして紙が移動している方向を簡単に判定することができる。さらに消費電力も小さくできる。紙送りセンサーは、画質を極端に落とすことによって、その用途に必要なスペックを低コストで実現したわけだ。

これも、ある種の「逆転の発想」と言えるだろう。技術開発には、「あちらを立てればこちらが立たず」というトレードオフの関係にある機能や性能がある。そういうとき、ふつうは「解像度も速度も」と、両方を達成しようとするので話が難しくなる。

ところが紙送りセンサーは、画素数を捨てる代わりに高速度は追求し、そのトレードオフのバランスを極端に崩した。そんなことをすれば、ふつうのカメラとしてはまったく通用しないものになる。だがその結果、プリンターの紙送りセンサーという、用途は異なるがきわめて有用なデバイスが誕生したわけだ。

11　医学の知見からトレードオフをした広視野角ＨＭＤ

どんな製品でも、エンジニアはあらゆる点で従来よりも性能の高いものを作りたいと考える。「より速く、より高く、より強く」はオリンピックのモットーだが、エンジニアにも「もっと高速で、もっと便利で、もっと壊れにくい」ものを目指す習性があるのは当たり前だ。

しかし、技術開発はオリンピックとは違う。紙送りセンサーがそうだったように、何かの水準を落とすのは必ずしも敗北ではない。何かを大胆に犠牲にすることで、新しいものが生まれることもある。

そうやってトレードオフのバランスを崩すのは、行き詰まったアイデアに突破口をもたらす考え方のひとつだ。

たとえば、マイクロソフトの研究者が手がけた「広視野角」のヘッドマウントディスプレイ（HMD）もそうだった。

HMDは、VRのディスプレイとして頭に装着するデバイスのことだ。テレビやパソコンやスマホなどで動画を見るのとは違い、周囲のリアルな風景をシャットアウトできるので、バーチャルな臨場感が得られる。

その臨場感をさらに高めるには、できるだけ見える範囲、つまり視野を広げたい。しかし単に画面の幅を広げればよいかというと、そう簡単なものではなかった。広視野角で高画質なHMDのディスプレイを作るのは、技術的にかなり難しく、「悪魔度」の高いテーマだ。

でも、技術的に高度なチャレンジをしなくても前進できる活路があった。

さっき紹介した私の「Traxion」に心理学的な実験が必要だったように、人間の感覚に働きかけるアイデアは工学や物理学の知識や常識だけでは扱えない。視覚に訴えるVRも、異分野である医学や生物学の知見を取り入れると、考え方が変わってくる。

広視野角HMDの活路も、それによって開いた。生物学や医学では、「周辺視野」の精度が視野の中央部分よりも低いことがわかっている。たしかに、これは実感としてもそうだろう。目の端のほうで見ている光景は、正面の光景よりもボヤけているものだ。

ならば、HMDの視野を広げるときに、全面を同じ解像度にする必要はない。周辺視野の映像は少しボヤけていても、リアリティが失われることはないだろう。もともと人間がそういうふうに世界を見ているなら、むしろそのほうがリアリティが高いとも言える。

それならば、全面的に精度の高い広視野角HMDを作るより、周辺視野を粗くしたほうが技術的にもはるかに簡単ではないだろうか。エンジニアとしては「部分的に質を落とす」ことに抵抗を感じなくもないが、そうやってトレードオフのバランスを崩すことで求めるものが実現するなら、何も悪いことはない。

その結果、中央部分は従来のままで、その周辺に低画質のＬＥＤディスプレイを追加するというアイデアが生まれた。紙送りセンサーと同様、ここでも「あえて低画質」を選択することで、実用化に向けた研究が大きく前進したのである。[※3]

12 ニューラルネットを使った「エクストビジョン」のアイデア

この「周辺視野はボヤけていてかまわない」という知見は、視覚情報を扱うテクノロジーを考える上で、大きなインパクトを持っている。ＶＲのヘッドマウントディスプレイ以外にも応用できるアイデアだ。

実際、私たち東京大学の研究室でも、この知見を活かすアイデアを考えた。ニューラルネットを活用して画面を「外」に広げる「エクストビジョン」というシステムだ。[※4]

たとえばテレビでアイドルのコンサートを収録した動画を見ているとしよう。昔とくらべればテレビの画面はかなり大きくなったものの、視界全体を覆うようなものではない。画面の外には、部屋の壁などが見える。そこにもコンサートっぽい光景が広がっていれば、臨場感はもっと高まるはずだ。

そこで、ニューラルネットを利用することを考えた。ニューラルネットは、不自然にならないような形で、そこにある画像に何かを補足して本物っぽく見せるのが得意だ。たとえばネット上で、昔の白黒写真にニューラルネットで着色したものを見たことのある人は多いだろう。写真の情報からＡＩが色を類推して加工するわけだ。前に紹介した「ＧＡＮ」でも、実在しないけれど本物にしか見えない人間の「顔写真」を作ることができた。

それと同じように、ニューラルネットを使えば、コンサート映像

トレードオフのバランスを崩して生まれた「エクストビジョン」。周辺視野はボヤけていてかまわない。その代わりに画面を「外」に広げた

の内容からその周辺の光景を類推することができる。実際には、周辺を切り落とした(クロップした)画像を入力して、元の画像を復元するようにニューラルネットを学習させる。すると、与えた画像のさらに外側を想像するニューラルネットになる。これを使えば、たとえばドーム球場でのイベントなら、ステージ周辺の観客席の様子などが疑似的に再現できるわけだ。テレビ画面の外側にもプロジェクターを置けば、それを映し出すことで臨場感を高めることができる。

もちろん、ニューラルネットの

ピボットで生まれたアイデアの例

方法	元のアイデア		生まれたアイデア
天使度を上げる	二次元通信	→	スマートスキン
視点を変える	振動によって人を誘導する	→	仮想力覚
逆転の発想	プリンターの紙送り	→	光学マウス
トレードオフのバランスを崩す	高精度かつ広視野角をあえて崩す	→	広視野角HMD

精度はそれほど高くないから、そのコンサートで実際に見られた光景を完全に再現することはできない。「だいたいこんな感じだっただろう」という程度のものだ。しかし、周辺視野の光景はボヤけているから、それで問題はない。テレビの外に、コンサートの映像がにじみ出したように感じられる。

このように、ある課題を解決したアイデアは、それ以外のものにも転用できるものだ。紙送りセンサーのカメラが光学マウスに使われたのもそうだった。

自分で考えたアイデアの場合、なかなか当初の目論見から離れることはできないかもしれない。でも、そういう可能性があることはいつも頭の片隅に置いておくべきだ。研究が目論見どおりに進まなくても、異分野から飛び込んできた知識によって、思いがけない道が開けることもある。そんなときは、思い切ってピボットしたり、トレードオフのバランスを崩すことを試みることも大事なのだ。

13　「そもそもの目的」に立ち返る

そういう「思いがけない展開」がある一方で、本来の立ち位置を見失わないことも技術開発には求められる。何か矛盾するように聞こえるかもしれないけれど、そんなことはない。**「そもそも何をしたかったのか」を忘れていると、思いがけない展開のチャンスを逃す可能性がある。**

さっきの広視野角ＨＭＤもそうだ。そもそもの目的は、「より広い視野でリアリティの感じられるＨＭＤ」の開発である。

ところがその研究に取り組むエンジニアは、職業的な習性によって、「どうすれば高画質を損なわずに視野角を広げられるか」というテーマを追求しやすい。技術的に困難な悪魔度の高いものほど、プロとしての腕が鳴る。

しかし（それこそ「視野」が狭まって）そればかり考えていると、たとえ生物学や医学の知見に触れることがあっても、それが自分の研究に関係があることさえ気づかないかもしれない。臨場感ある映像を見せたいという「そもそも論」を忘れると、トレードオフのバランスを大胆に崩して周辺視野をボヤけたものにすることなど思いも寄らないということになってしまう。

そういう「手段の目的化」は、どんな分野でもしばしば起こるだろう。ある目的のための手段を考えているうちに、その手段を完成させること自体が目的であるかのように錯覚してしまうのだ。

その結果、同じ目的を達成するのに、ほかにも手段があり得ることが見えなくなる。東京から福岡に行きたい人が、飛行機が満席で乗れないとなったときに、ひたすら可能性の低いキャンセル待ちを続けるようなものだ。それを待つより、新幹線に乗ったほうが早く着くかもしれない。

たとえば新しい椅子のデザインを考えるとき、「椅子とは四本の脚と座面を持つものだ」という「形」にとらわれていると、アイデアの幅は広がらない。椅子の「そもそもの目的」は、形ではなくその「機能」だ。

では椅子の機能とは何かといえば、「座れること」にほかならない。だとすれば、「座る」とはどういうことかを考えてみるべきだろう。

座っている人は立っていない。また、寝てもいない。寝てはいないけれど、体重を何かで支えられているので、立っているよりは楽だ。人をそういう状態にする機能を持つ「何か」が椅子だろう。

そう考えると、椅子であるためにはべつに脚がついている必要はない。ある場所に置いておけるものである必要もないだろう。世の中の椅子のほとんどは脚があってどこかに置いてあるが、それだけが椅子だとはかぎらない。

たとえば最近、外科手術のような立ちっぱなしの仕事を座った状態でやれる「ウェアラブルチェア」が登場した。下肢に装着すると、そのまま歩くことができるが、少し中腰になると体を支えられて座った状態になる。

見た目は、まったく椅子らしくない。しかしその機能を考えれば、これはまさに「歩ける椅子」だ。手術室に椅子を置くと移動の邪魔になるので、これまでは最初から最後まで立ったままやるしかなかったそうだが、これを装着して立ったり座ったり歩いたりしながらやれば、かなり肉体的な負担

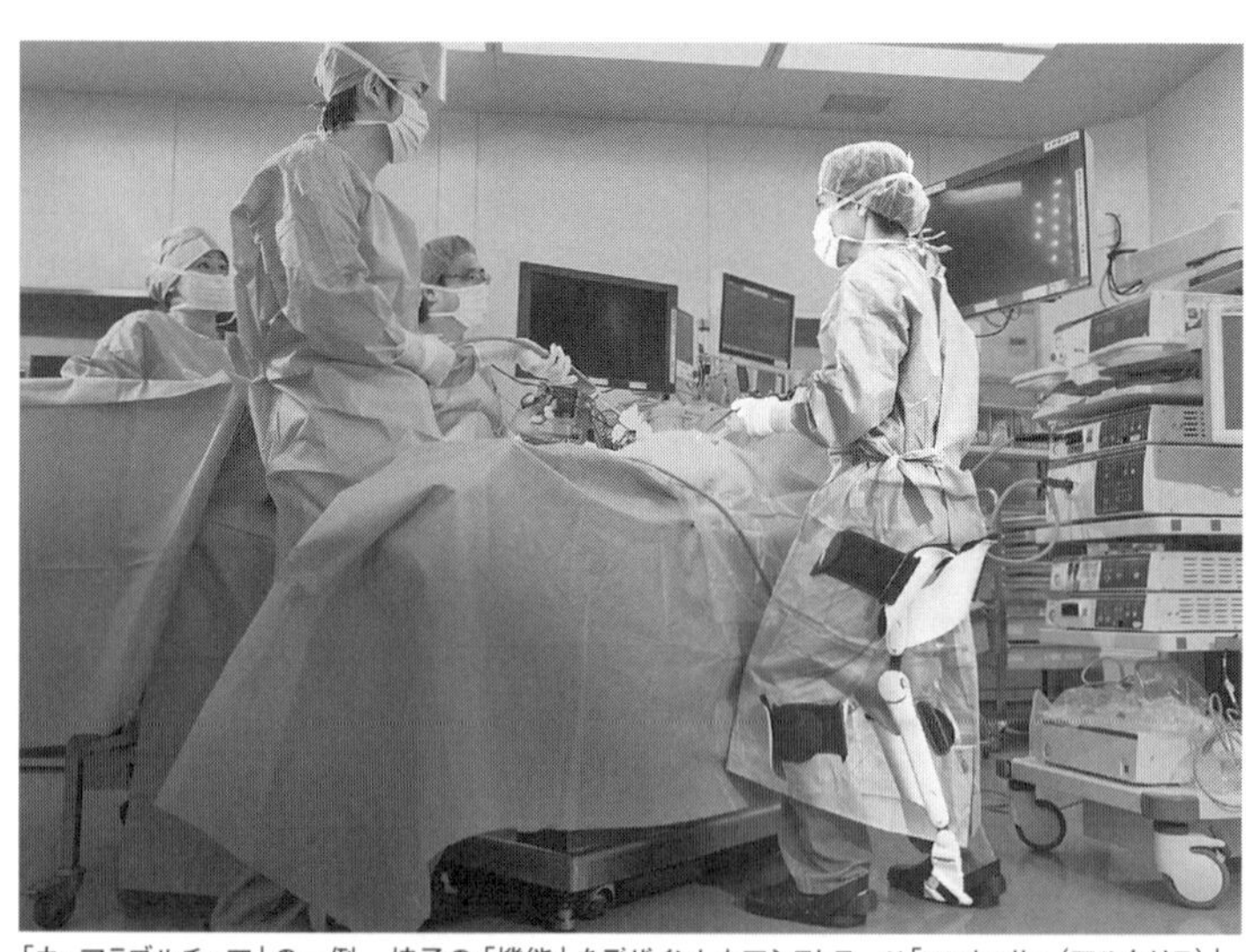

「ウェアラブルチェア」の一例。椅子の「機能」をデザインしたアシストスーツ「archelis（アルケリス）」

が減るだろう。

そもそもの目的を忘れないとは、こういうことだ。椅子の「形」という手段にこだわっていると、こういう発明には行き着かない。

登録したドライバーが自分の車で客を運ぶＵｂｅｒ（ウーバー）というサービスも、「そもそもの目的」を見失わなかったからこそ生まれたアイデアと言えるだろう。「タクシー」という既存の手段にこだわっていたら、あの発想は出てこない。「今いる場所から目的地まで車で移動する」というそもそもの目的を実現するなら、従来の業態としてのタクシーである必要はまったくなかったのだ。

それこそスマートスキンも、結果的には「マウスに代わるインプットデバイス」になったわけだが、「マウスをもっと改良したい」という発想ではそこに到達しないかもしれない。マウスはインプットの手段にすぎないが、その考え方だとマウスの機能ではなく形にとらわれやすいからだ。すると、「マウスにホイールをつけてみよう」「もっとセンサーの反応を良くするにはどうするか」といったマウスの枠から出ない改良にばかり目が向いてしまう。テルミンの仕組みから「次世代のマウス」のようなアイデアを思い浮かべることはできないだろう。

14 イナーシャ（慣性）が無駄な「こだわり」を生む

この章の冒頭で、「自分のアイデアはかわいいから諦めにくい」という認知バイアスの話をした。手段が目的化するのも、ある種の「こだわり」が考え方を歪めてしまうという意味では、同じような認知バイアスと言えるかもしれない。

ほかにも、「こだわり」によって「そもそも論」を見失うパターンはある。たとえば企業なら、どこでも「社風」というものがあるだろう。私が所属しているソニーにも、昔から伝統的に共有されている「ソニーらしさ」がある。

しかし少なくともソニーCSLでは、「ソニーらしさ」にこだわらないようにしているつもりだ。CSLそのものが「ソニーらしい存在」なのかもしれないけれど、「ソニーらしいものを作る」という方向性はアイデアを束縛するものでしかない。

何であれ「らしさ」を背負わされると、妄想の広がりは限定されてしまう。面白いアイデアを思いついても、「それはソニーらしくない」と否定されていると、やがて「ソニーらしさ」を表現することが目的化してしまうだろう。社風にこだわることで、「そもそも何をしたいのか」という本来の目的を見失いやすくなるわけだ。

実際、オーディオやビジュアルが全盛だった時代のソニーはコンピュータが嫌いだった。ソニーの扱うソフトと言えば音楽や映像のソフトのことであって、デジタルのコンピュータソフトなど邪道である、という空気があったのだ。

その時代にデジタル技術に取り組んでいた人たちは、本当に「そんなものはソニーらしくない」と言われたらしい。アナログのソフトを職人的に作り込むのがソニーらしい仕事だ、そんなふうにコンピュータで計算すれば出来上がるようなものは芸術的ではない、といったところだろうか。

でも、これはやはり手段が目的化していたと言わざるを得ない。「そもそも論」を言えば、ソニーという会社が目指すのは「楽しさをビジネス化すること」だ。そういう本来の立ち位置に戻って考えれば、手段はアナログでもデジタルでもかまわないはずだ。

こういう「こだわり」を生むもののことを、私たちは「イナーシャ」と呼んでいる。「慣性モーメント」を意味する言葉だ。長く同じようなスタイルの仕事をしていると、そのまままっすぐ進む方向に慣性が生じて勢いがつき、急には方向転換ができない。

ずっとアナログの仕事を手がけていると、デジタルに舵を切ることが難しくなるわけだ。傍(はた)から見ると、それが、まっすぐ進むことに無駄にこだわっているように思える。

そういうイナーシャが生じるのは、企業だけではない。一人ひとりの個人にも生じる。よく「自分は○○屋だから、これしかできない」などと言う人がいるだろう。「おれはコンテンツ屋だから」と言う人もいるし、「映像屋」や「音響屋」という言い方もある。「これしかできない」と言うのは謙虚な姿勢のようだが、じつはその「○○屋」に誇りを持っている人がほとんどだ。そういう「この道ひと筋ウン十年」の生き方は、しばしば尊敬の対象にもなる。

たしかに、その愚直ともいえる信念は立派なものかもしれない。でも、そこにはマイナス面もある。「自分らしさ」はオリジナルな妄想を生む上で大切だ。しかしその半面、アイデアを形にする上では「自分らしさ」が邪魔をするおそれもあるわけだ。「○○屋」であることを言い訳にしてはいけない。

「○○屋の自分にはできない」と思ったときは、「そもそも何がしたいのか」を見直したほうがいい。「○○屋」というこだわりに意味がないことがわかれば、自分のイナーシャにブレーキをかけて、別の方向にピボットすることができるにちがいないから。

※1 Jun Rekimoto, SmartSkin: An Infrastructure for Freehand Manipulation on Interactive Surfaces, ACM CHI2002 (2002)

※2 Jun Rekimoto, Traxion: A Tactile Interaction Device with Virtual Force Sensation, ACM UIST 2013 (2013)

※3 Robert Xiao, Hrvoje Benko, Augmenting the Field-of-View of Head-Mounted Displays with Sparse Peripheral Displays, ACM CHI 2016 (2016)

※4 Naoki Kimura, Jun Rekimoto, ExtVision: Augmentation of Visual Experiences with Generation of Context Images for a Peripheral Vision Using Deep Neural Network, ACM CHI 2018 (2018)

第6章

「人間拡張」という妄想

1　技術が人間を拡張させる

ここまでは、新しいアイデアが生まれてからそれを形にするまでの発想法や思考法（試行法でもある）について、自分の経験や学んだことから述べてきた。技術開発の仕事にかぎらず、「アイデア」が求められるさまざまな分野に応用できると思う。

さて、ここであらためて、そのアイデアの源泉である「妄想」に話を移そう。「妄想」がどんなふうに湧いたり広がったりするのかを、自分自身のことを振り返りながら考えてみたい。

極言すると、世間のルールも倫理も外してかまわないのが妄想だと思う。妄想は欲望がないと生まれない。その欲望は身近なところにあったりする。たとえば、第1章で紹介した金出さんの「スマートヘッドライト」は、ヘッドライトが雨に反射するのが鬱陶（うっとう）しかったから消したかったのだろう。

そして、その妄想から生まれたテクノロジーが、ルールや倫理観を大きく変えてしまうことも多い。今の常識がいつまでも常識であり続けるとはかぎらない。蒸気機関からコンピュータ、ＡＩに至るまで、テクノロジーによって常識は次々と更新されてきた。

前述した「脳と脳をつなぐ」という妄想は、頭の中にある妄想のほんの一部だ。私が研究している「ヒューマン・コンピュータ・インタラクション」という分野は、人間と機械を「つなぐ」のがテーマだが、それは人間と機械の境目が曖昧(あいまい)になる、あるいは「なくなる」ことを意味している。「ヒューマン・コンピュータ・インテグレーション」と言ったほうが正確かもしれない。機械を自らの中に取り込むことによって、「人間」という概念がこれまでよりも広がる。それが、私の抱いている妄想の土台である「人間拡張（Human Augmentation）」だ。

もちろん、この「人間拡張」は私ひとりの研究テーマではない。二〇一八年には、六〇名の執筆者による『オーグメンテッド・ヒューマン――ＡＩと人体科学の融合による人機一体、究極のＩＦが創る未来』（エヌ・ティー・エス）という本を私が監修する形で発刊した。

その本の惹句(じゃっく)には「人類の能力を遥かに凌駕(りょうが)する超人の出現も近い！」と書かれているが、荒唐無稽な話ではない。人間拡張は現実に根ざした話だ。

人類はこれまでにもテクノロジーによって自らを「拡張」してきた。言葉を発明し、石器を使い始めた時点で、人間は自分たちの能力を「拡張」したのだから。このような「技術が人間を拡張させる」という発想も決して新しいものではない。

ＳＦ作家のアーサー・Ｃ・クラークは、「人間が技術を発明した、というのは真実の半分にすぎない。より正確には、技術が人間を発明したと言うべきだろう」と述べている。さらに遡（さかのぼ）ると、一七世紀に光学顕微鏡を改良したロバート・フックは、著書『ミクログラフィア』の中で「顕微鏡は視覚の拡張である。他の感覚器官、たとえば聴覚・嗅覚・味覚・触覚なども、将来の発明で拡張されるだろう」と書いている。現代に生きる我々なら、ちょっと身の回りを見渡すだけで、自分を「拡張」してくれている物がいくらでも見つかる。

その意味で、人間拡張という方向性はエンジニアにとってごく基本的な発想とも言える。私はそれをＡＩやコンピュータといった技術によって推進したいと考えている。拡張される要素はさまざまだ。フックが指摘した感覚だけではない。たとえば時間の抑制、予知能力、存在や身体そのものの拡張などなど、これからやれそうなことはたくさんある。

2　SF作家とエンジニアの妄想は一体化している

私が人間拡張というテーマを志向するようになったのは、子供のころから読んでいたものの影響が強い。そのひとつは、「SF」だ。私は中学生のとき、国語の先生に「暦本はもうちょっとまともな文学作品も読んだほうがいいんじゃないか」と言われるぐらいSFばかり読んでいた（付け加えればSFも「まともな文学」である。ノーベル文学賞を受賞してほしいSF作家は、世の中に何人もいる）。

小説にかぎらず、漫画、アニメなどのSF作品には、人間拡張にかかわる先駆的なアイデアがたくさん登場する。SFは作家の妄想から生まれるものだが、少なくとも人間拡張については研究者の妄想とほぼ一体化していると言っていい。実際、現実の技術開発に影響を与えたSF作品は数多くある。ここでそのうちの数点を紹介しておこう。

たとえば、『夏への扉』で有名なロバート・ハインライン。彼は一九四八年の『ウォルドウ』という作品で、通信によって接続された遠隔マニピュレーターを介して遠隔地のものを操作する機器を描いた。それからおよそ三〇年後の一九八〇年に「テレプレゼンス」の概念を提案したマーヴィン・ミンスキー（「人工知能の父」とも呼ばれる科学者）は、ハインラインのこの作品をアイデアの源流のひとつとして挙げている。テレプレゼンスとは、遠隔地にいる人間同士がその場で対面しているかのような感覚で、対話や会議などができる臨場感を与える技術のことだ。

ちなみにハインラインは、一九五九年の『宇宙の戦士』という作品で、パワードスーツ型の戦闘服を提案している。まさに人間拡張のアイデアだ。これが『機動戦士ガンダム』や『パシフィック・リム』といったアニメや映画の源流であることは言うまでもないだろう。もちろん、現実の技術開発にも影響を与えている。前に紹介した身に着けて歩ける椅子も、パワードスーツ的発想から設計したものだろう。

機器との融合による能力拡大という点では、一九六四年に連載が始まった石ノ森章太郎の『サイボーグ００９』も重要だ。日本で「サイボーグ」という言葉を普及させたのが、この作品だった。また、鳥山明の『ドラゴンボール』に登場する単眼グラス型の装着装置「スカウター」は、グーグルグラスなどの眼鏡型ウェアラブルコンピュータの原型だ。かつての日本の漫画には、先進的なアイデアがたくさん詰まっている。

3　大きな影響を受けたSFの数々

一九七〇年に連載が始まり、テレビ番組にもなった『ジャンボーグA（エース）』もそうだ。この作品では、人間の身体の動きをトレースして、それを増幅してロボットに同じ動きをさせる技術が描かれた。これもロボットを遠隔操作するという意味で、テレプレゼンスのひとつだ。

それとほぼ同時期にジェイムズ・ティプトリーjr.が発表した『接続された女』という作品では、人間の脳がネットワーク経由でヒューマノイドに接続する世界が描かれていた。これは私自身も高校時代に大いに影響を受けたSFのひとつだ。

生身の人間がアンドロイドに乗り移って意のままに操るという話なのだが、アンドロイドは美女で、乗り移る女は非モテ系という設定。それが男から求婚を受けたとき、「愛されているのは果たして外見か中身か？」という哲学的な問題も浮上する。やはりSFは「まともな文学」だ。

そうやって人間が人間に乗り移って操作する形のテレプレゼンスのことを、遠隔制御型の接続形態と区別するために、私は「ジャックイン」と呼んでいる。その言葉の

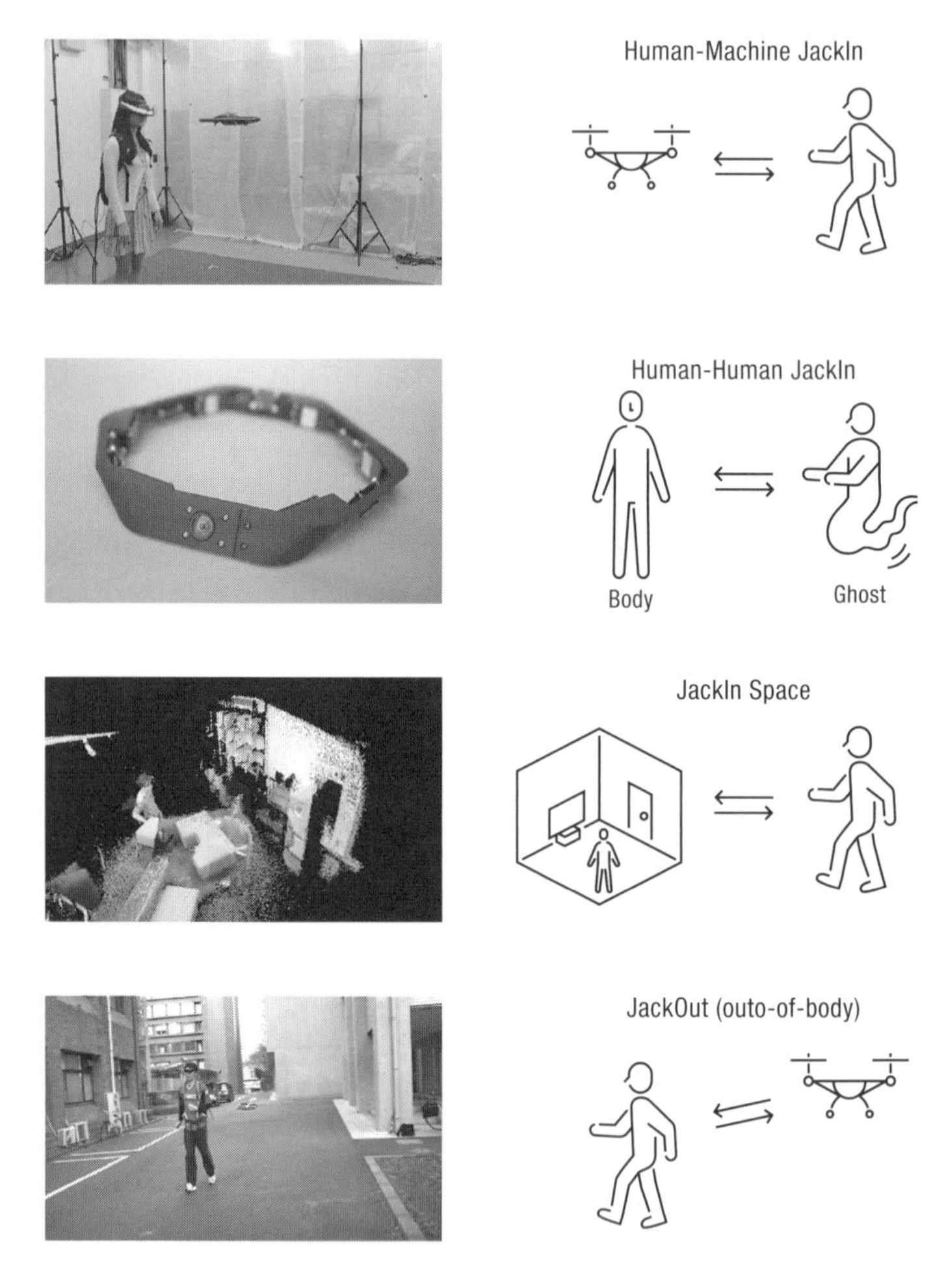

「ジャックイン（JackIn）」の諸形態。人間と人工物へのジャックイン、人間と人間のジャックイン、視点の行き来ができる空間へのジャックイン、そして体外離脱感のジャックアウト

由来は、サイバーパンクの元祖として名高いウィリアム・ギブスンの短編『クローム襲撃』と長編『ニューロマンサー』だ。そこでは、サイバースペース（電脳空間）に没入（ジャックイン）するハッカーの生態が描かれている（『ニューロマンサー』ではハッカーのことを「カウボーイ」と呼んでいる）。その斬新な世界観は、『攻殻機動隊』などの多くのSF作品に影響を与えた。ちなみに、『ニューロマンサー』にはVR、あるいはヴァーチャル・リアリティという用語は登場しない。ヴァーチャル・リアリティという用語が生まれる以

SF作家、ウィリアム・ギブスン（左）と著者。「ジャックイン」は彼のSF『ニューロマンサー』に登場する用語

前の作品だからだ。このことだけからも、ギブスンの発想がいかに先駆的であったかを伺い知ることができる。

体験の拡張という観点では、一九八三年に発表されたダグラス・トランブル監督の映画『ブレインストーム』が面白い。そこでは、人間の完全な記録・伝達・再生が可能になった世界が描かれている。前に話したブレイン・マシン・インターフェース（脳と機械をつなぐ技術）のアイデアに基づくものだ。作品の中では、その技術が「教育や訓練に革命的な改善をもたらす」ものとされていた。

また、一九七二年にテレビ放映が始まった『プローブ捜査指令』というスパイドラマシリーズでは、主人公がネクタイピン型のウェアラブルカメラや内耳に埋め込まれたヘッドセットを介してバックアップセンターと接続した状態で活動する。バックアップセンターのスタッフは、主人公の状況を察知しながら遠隔サポートを行なうわけだ。

このドラマのポイントは、主人公がそんな機器を装着していることを他の登場人物が知らないこと。まさか遠隔サポートを受けているとは思わないので、「なんでそんなことがわかるんだ⁉」などと驚かれる。まさに、ふつうの人間よりも能力が拡張された「超人」的な活躍に見えるということだ。

4 「超能力」をテクノロジーで実現する

これらのSFは多くの科学者やエンジニアに影響を与えたわけだが、私の場合、もうひとつ子供のころによく読んでいた本のジャンルがある。超能力やUFOなどについて書かれた、いわゆる「オカルト本」だ。

一九七〇年代には全盛だったオカルト本だが、超能力やUFOを、少年時代の私はわりと真面目に信じていた。夏休みの自由研究として、ある本に書いてあった「UFO発見装置」を作ったこともある。UFOが出すであろう磁場をキャッチすると磁石が反応して「ビビビビッ」とブザーが鳴るという仕組みだ。仕掛けておいたら本当にブザーが鳴ったことがあって、めちゃくちゃ興奮した覚えがある。実際はUFOではなく風のせいだったのだが。

いわゆる「ESP」（超感覚的知覚）を調べるカードを自分で手作りして、実験をくり返したこともあった。これは一九三〇年代に心理学者のカール・ゼナーがデザインしたことから、「ゼナー・カード」とも呼ばれているものだ。丸、四角、十字、波、星の模様が描かれたカードを裏返しに置き、何が描かれているかをESPによって当てる。このＥＳＰカードを使って透視実験をしたら、なんと最初の一回で五枚すべて当たってしまったのだ。もちろん統計的に考えれば、そういうこともあり得るわけだが、小学生にとっては驚きだ。「私はエスパーかもしれない！」とドキドキした。お煎餅を入れるトタンの缶にカードを入れて、透視能力が遮蔽されるかどうかを実験したこともある。まったくもって妄想を具現化することばかりやっていたものだ。

　こういったオカルト文化は、オウム真理教のようなものとの結びつきもあったので、眉を顰める人も多いかもしれない。しかし、超能力やＵＦＯといったオカルト的なものは単に否定すればいいというものではないと私は思う。そこには、「こんなことができたらいいのに」という人間が抱きがちな妄想がある。私が取り組んでいる人間拡張とは、まさに「超能力」をテクノロジーによって実現しようという話だ。超能力にもいろいろあるが、代表的なのは「予知能力」「テレパシー」「念力」「テレポーテーション（瞬間移動）」といったものだろう。そういう能力が生身の人間に備わっていると根拠なく信じるのは、科学的とは言えない。でも、それをテクノロジーによって実現しようと考えたら、どうだろう。

　すでに科学技術が可能にした「超能力」はたくさんある。さっき紹介した『プローブ捜査指令』の主人公が、事情を知らない他の登場人物には「超人」に見えたように、もし何十年も昔の人間が現代にタイムスリップしてきたら、私たちはみんな超能力の持ち主だと思うにちがいない。

たとえば私たちは、どこにいても携帯電話で地球の裏側にいる相手とも意思の疎通ができる。電話さえ知らない時代の人から見たら、ほとんどテレパシーみたいなものだ。天気予報の「予知能力」も、鉄道会社が計画運休を実施できるほどにまで精度が上がった。まるでテレポーテーションのように遠隔地の相手と会話ができるテレプレゼンスの技術も、どんどん進歩している。

そう考えると、オカルト的な「超能力」という人類が広く共有する妄想は、さまざまなイノベーションを起こす推進力になってきたと言えるだろう。ＳＦであれ、超能力であれ、未来のテクノロジーを担う子供たちの妄想力を刺激する「物語」はあったほうがいい。

5　アラン・ケイの論文を読んで「マウス」を想像

少年時代からＳＦや超能力が大好きだったが、そのころから今のような仕事がしたいと思っていたわけではない。人間拡張のようなテーマを自覚的に意識するようになったのは、ずいぶんあとのことだ。

前にも触れたが、少年時代の私はコンピュータにも強い興味を抱いていた。実物を触ったことさえほとんどないのに、どうしてあんなに好きだったのか、考えてみると不思議ではある。

高校時代には、アメリカの計算機科学者アラン・ケイの論文を、雑誌『サイエンス』で読んだりしていた。アラン・ケイは、まだマイクロコンピュータさえなかった時代に、パーソナル・コンピュータという概念を提唱した人物だ。「パーソナル・コンピュータの父」とも呼ばれている。高校生の私は雑誌のページをめくりながら、まだその論文の中にしか存在しなかった「マウス」とはいったいどういうものなのかを懸命に頭の中で想像していた。

そういうコンピュータを作りたかったので、大学は情報科学科に進んだ。まだ大学の授業ではカードにパンチするようなコンピュータを扱うのが主流だった時代だ。学部にいるあいだに、ＮＥＣのＰＣ－98が登場した。

アラン・ケイの論文で知ったマウスというものを初めて見ることができたのも、学生時代だ。「本物があるよ」と聞いて、わざわざマウスを見るだけのために富士ゼロックスの海老名工場まで出かけて行ったのを覚えている。

大学院で取り組んでいたのは、当時のコンピュータ技術分野では主流派とも言えるユーザーインターフェースの開発だ。現在のウィンドウズやMacOSみたいなものをどうやって作るかといった話で、妄想力が問われるような研究ではない。どちらかというと、コツコツと悪魔度を高めるような世界だった。

NECに就職したのは、一九八六年。自宅から研究所が近かったのと、当時のNECは宮崎台に大学のキャンパスのような中央研究所があり、それに惹かれた。今はもうなくなって、マンションが建っている。最近は大学も高層ビル化が進んでいるけれど、NECの研究所も今は高層ビルになっている。個人的には、大学や研究所は広い敷地に平べったい建物が並んでいる水平のスタイルが好きだ。垂直のビルに押し込められると、息抜きする場所もない。グーグルやマイクロソフトの本社は水平のキャンパスだ。ふらっと外に出ることができて、地面にしっかり足をつけていたほうがイノベーションは起こせるのかもしれない。

ところが、私が配属されるソフトウェアの研究グループは、入社前年に田町の本社ビルへ移されてしまった。ちょっとアテは外れたが、ソフトウェア研究者としてスタートした。NEC中央研究所はスーパーコンピュータや半導体などの研究が主流で、ソフトウェア研究は傍流ではあった。

6 人間拡張の妄想は歌舞伎座のイヤホンガイドから始まった

ソフトウェア開発の仕事をその研究所で六年ほどして、一九九二年から一年間、カナダのアルバータ大学に留学した。帰国後の一九九四年にNECからソニーCSLに移ったわけだが、その留学前に、忘れることのできない重要な体験をした。そこで今の研究につながるヒントを得たのだが、場所はコンピュータやソフトウェアとはおよそ縁遠い、きわめてトラディショナルな空間、銀座の歌舞伎座だった。

たしか一九九二年の六月ぐらいだったと思う。休日に妻と歌舞伎を見に行くと、座席で解説を聞けるイヤホンガイドというのがあるので、借りてみることにした。妻は昔から歌舞伎に親しんでいたが、私はほとんど知らない。

外国人用のガイドは台詞(せりふ)を同時通訳してくれるのだろうが、日本語版のガイドは役者が喋っているときは黙っている。台詞の合間に、物語の歴史的な背景を説明してくれたり、舞台上にある壺や掛け軸、役者が着ている衣裳などの意味や由来などを教えてくれるサービスだった。

解説者がリアルタイムで喋っているわけではない。あらかじめオープンリールのテープにナレーションを録音し、舞台の進行を見ながら技師が手作業でテープを少しずつ動かすというやり方だ。まだまだ時代はアナログだった。

でも私は、そのイヤホンガイドに強烈な新鮮さを感じた。舞台の状況に合わせてテープを操作して観客に情報を伝える技師は、前に紹介した『プローブ捜査指令』の主人公を遠隔サポートするバックアップセンターのスタッフみたいなものだ。いわば観客に耳を通して「ジャックイン」している。そのサポートを受けた観客は、突如「歌舞伎通」に変身する。もし隣の妻がイヤホンガイドの存在を知らなければ、歌舞伎のことなど知らないはずの私が「あの壺はね……」などと小声で解説を始めたらビックリするにちがいない。

使っている技術はアナログだが、「これは革命的なインターフェースだ」とさえ私は思った。コンピュータの前でキーボードを叩きながら情報を得るのではなく、ふつうに生活をしながら目の前の状況に合わせて必要な情報が入ってくる。それによって、人間は本来の自分より「賢く」なれるわけだ。「能力の拡張」である。

変化する状況に応じて情報を与えるウェアラブルコンピュータのことを、学術的には「コンテクストアウェア」と呼ぶ。その場その場の「文脈（コンテクスト）」に合った情報が手に入るということだ。

しかし、そういう用語が広まったのはじつはもっと後のことだ。その言葉を使った論文が発表されて流行り始めたとき、私はすでに歌舞伎座のイヤホンガイドでそのイメージをつかんでいたので「ああ、あれのことだな」とすぐに理解することができた。

7 人間に「ジャックイン」するインターフェース

私の中で「人間拡張」という妄想が膨らみ始めたのは、この歌舞伎座のイヤホンガイドに出合ってからだ。子供のころから親しんでいたSFや超能力の世界とエンジニアとしての仕事が、ここで初めてリンクしたのかもしれない。

その数年前までの私は、マウスさえ実物を見たことがなかった。歌舞伎座に行った九二年といえば、アップルのMac OSとマイクロソフトのウィンドウズが激しいシェア争いをくり広げていた時代だ。「ウィンドウズ95」の発売が大きなニュースになるより三年も前のことである。

しかしその時点で、マックやウィンドウズのようなコンピュータのインターフェースは私の中で「古いもの」に感じられるようになった。アナログのイヤホンガイドのほうが、私にとってはよほど先進的なインターフェースだったのだ。

もちろん、そのイヤホンガイドがそのまま次世代のインターフェースになるわけではない。歌舞伎はあらかじめ筋書き（コンテクスト）が決まっているから、人間に「ジャックイン」して与える情報は限定されるし、用意もしておける。私の妄想は、「同じことを筋書きのないリアルワールドでもやれるにちがいない」というものだ。家やオフィスにいても、街を歩いていても、その場面ごとに必要な情報が入ってくる。ジェイムズ・ティプトリー jr.の『接続された女』になぞらえていえば、「接続された人間」だ。

そんな妄想を抱いた状態で、私はカナダに留学した。当初の目的は、VRの研究だ。当時はまだ新しい分野だった。でもその研究をしていても、歌舞伎座のイヤホンガイドのことが頭から離れない。あのインターフェースにくらべると、HMDをかぶって仮想世界に入っていくことさえ「古い」感じがしてしまう。

VRの研究を進めつつも、これからはそういうコンテクストアウェア的なインターフェースのアイデアを本気で推進する必要があると考えた私は、留学中にそれに関するプロポーザル（提案書）を書き、一〇ページ程度にまとめた。

しかし、帰国後に提出したそのプロポーザルは、上司の興味を惹かなかった。一応、留学中の研究レポートとして受理はされたものの、「まるでＳＦのようなことが書いてある。今この部署ではとてもできない話だ」と、そのままお蔵入りになった。

納得はいかないけれど、仕方がないとも思った。留学から帰国した時点で、日本の社会がずいぶん変わってしまったことにも気づいていたからだ。

たった一年の留学だったが、私が日本を離れているあいだにバブル崩壊が起きていた。ちょっと前まで、みんなジュリアナ東京でイケイケに踊っていたはずなのに、私が戻ったときには『清貧の思想』がベストセラーになっていた。カナダに行ってから、「留学費用をちょっと減らせないか」という打診があったりしたので、日本が経済的に冷え込んでいることは感じていたけれど、帰国したときは異次元の世界に戻ってしまったような気分だった。会社も、新しい分野にチャレンジしている場合ではないのだろう。自分のプロポーザルが受け入れられないのもやむを得ない。

8　研究開発には、妄想を現実的な形にするフェーズがある

あるとき、そのレポートを社外の人に見てもらう機会があった。ソニーCSLの北野宏明（きたのひろあき）さん（現所長で代表取締役）と所眞理雄（ところまりお）さんだ。北野さんはNECの先輩にあたり、当時からAIの研究などを手がけていた。所さんは当時ソニーCSLの副所長として研究を統括していた。

そのソニーCSLにふらりと遊びに行ったときに、私は「最近こんなの書いてみたんですよ」と、カナダで書いたレポートを北野さんに渡した。べつに何か目論見（もくろみ）があったわけではない。会社の上司が興味を持ってくれなかったのが残念だったので、誰か他の人にも読んでほしいという思いはあったかもしれないが、どちらかというと、久しぶりに会う先輩への近況報告を兼ねた世間話ぐらいの軽い気持ちだった。

ところがそれを読んだ北野さんから、すぐにメールが届いた。「君はうちに来るべきだ」という。「いつ辞めるの？」とまで書いてあった。

当時は今とは違い、NECのような上場企業からの転職はめずらしい時代だ。レポートを渡したときには、自分がそんなことになるとはまったく思っていなかった。

でもソニーＣＳＬならこの研究ができるというので、すぐに決断した。そして翌年にはソニーＣＳＬに入り、今日にいたる。

同じ企業の研究所でも、ソニーＣＳＬはＮＥＣとはずいぶん違う雰囲気だった。何十人ものプロジェクトで動くのではなく、それぞれが自分でやりたいテーマを決め、自分でシステムを作り、それに責任を持つ。

これは「社風」の違いによるものでもあるとは思うけれど、研究所としての役割の違いとも言えるだろう。研究開発には、まず妄想を現実的な形にするフェーズがある。いわば「0」を「1」にするような段階だ。それがうまくいきそうなら、次はその「1」を「5」や「10」に広げるフェーズに進む。そうやって少しずつ商品化に向かうのが企業の研究開発だ。ＮＥＣ時代に私が所属していたソフトウェア開発研究所は「1」を「10」にするようなタイプの仕事が多かった。それに対してＣＳＬは「0」から「1」のフェーズを担っている。だから一人ひとりの研究者による手作り感が強いわけだ。

ソニーＣＳＬで私が最初に手がけたのが、「ナビカム」というシステムだった。[※1] 端末は、ＣＣＤカメラの付いた携帯型の液晶テレビで、それを持ち歩いていると、あらかじめあちこちに貼られたアイコンの前にさしかかったところで、その場所に関する情報が画面に表示されるという仕組みだ。身近な例でいえば、たとえばスーパーマーケットなどで、食料品などのパッケージに貼られたアイコンを読み込むと、その生産地などが確認できるのも、このシステムを使っている。

そう、このアイデアは歌舞伎座のイヤホンガイドから生まれたものだ。人間の実体験（リアリティ）がナビカムの情報によって拡張する。だから、このような技術は「VR（バーチャル・リアリティ）」とはやや異なるニュアンスを持つ、「AR（オーグメンテッド・リアリティ）」あるいは「拡張現実」と呼ばれる（ほかに「強化現実」「増強現実」

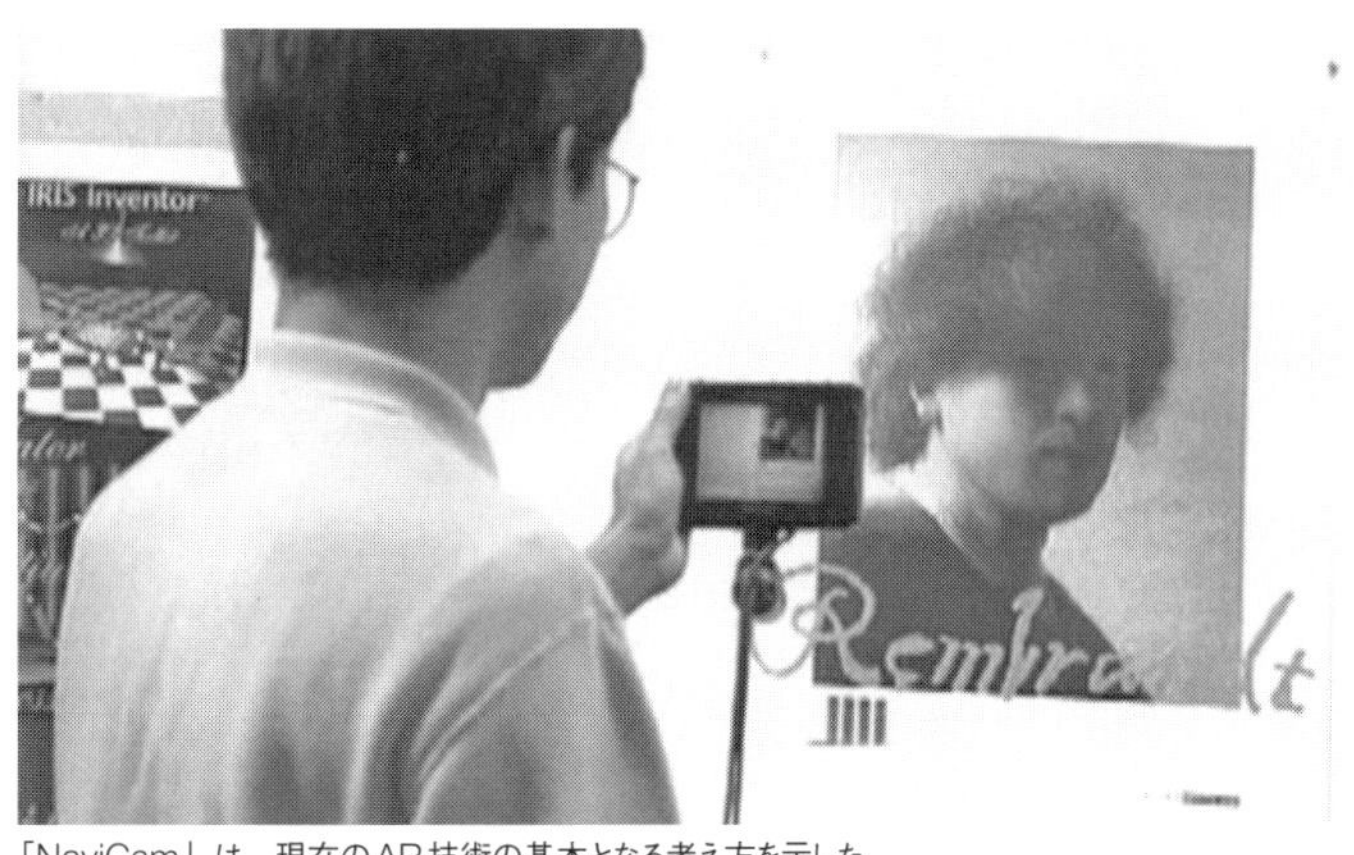

「NaviCam」は、現在のAR技術の基本となる考え方を示した

といった言い方もある）。

そしてこの機能は、パソコンにも応用された。ナビカムのソフトウェアを搭載したソニーの小型パソコン「バイオＣ１」は、紙に印字した切手大のバーコードをカメラの前にかざすことで、パソコンに触らずに操作できるようになっている。

9 世界初のＡＲゲーム

それ以降、二〇〇一年にスマートスキンの開発をする前までは、ＶＲやＡＲの研究をすることが多かった。たとえば、ナビカムの延長で「共有型ＡＲ」を作ったこともある。二人でナビカムを使うことで、同じ空間を一緒に見ることができるシステムだ。また、「サイバーコード」と呼ぶ、紙に印刷したマーカーを使ってＡＲを実現する方式も開発し、特許も取った。[※2] 今から数年前に、マークにカメラを向けるとＣＧが出現するゲームが流行ったが、その技術の基本になる特許だ。

また、おそらく世界で初めてＡＲを本格的にゲームに取り入れた商品も開発している。プレイステーション３用の「アイ・オブ・ジャッジメント」というゲームだ。テレビゲームと対戦型のトレーディングカードゲームを融合させたもので、二〇〇七年に第一弾が発売された。

　このゲームに使用するトレーディングカードには、「サイバーコード」という二次元バーコードが印刷されている。それを付属のカメラが認識すると、テレビ画面に映ったカードの上に3Dのキャラクターが出現するという仕組みだ。カードをフィールド上で動かしながら陣地を取っていくゲームで、カードを動かせば3Dのキャラクターも一緒に移動する。今やARのゲームは世の中にたくさん出ているけれど、一般の人たちがARと呼べるものを目にしたのは、このゲームが初めてだった。

　しかし私としては、VRやARは「人間拡張」の手前のステップだと思ってい

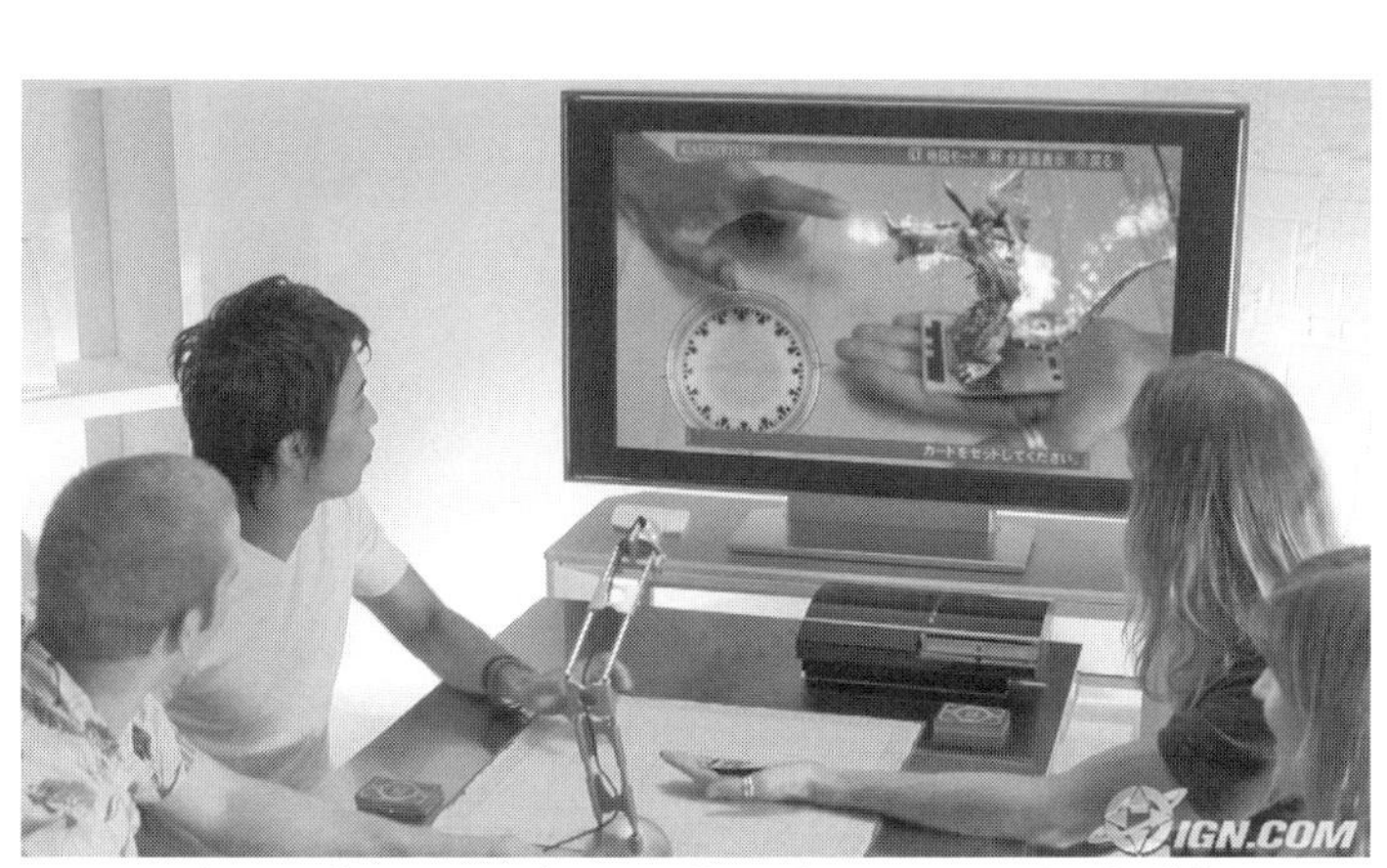

カードゲーム「アイ・オブ・ジャッジメント」。カードを動かせば3Dのキャラクターも一緒に移動する

る。三〇年前の歌舞伎座で得た「自分の能力が自然に拡張されていく」というイメージにまだ追いついていない、というのが正直な思いだ。

テクノロジーを進歩させるには、「最先端」を少しずつ改良しながらさらに先まで伸ばしていくような研究開発も必要だ。三〇年前なら、ウィンドウズとMac OSの開発競争がそうだった。今なら、３Ｇから４Ｇ、さらに５Ｇの時代を迎えようとしている通信技術の開発競争がそうだろう。

でも私は、歌舞伎座でイヤホンガイドに出合った時点で、すでにウィンドウズやMac OSのようなインターフェースは「古い」と感じた。５Ｇの技術も、きっとすぐに時代遅れのものになるだろう。「妄想」から始まるイノベーションは、そういう技術開発とは違うフィールドの上で進んでいく。

大事なのは、「４Ｇの次は５Ｇ」といった具合に技術進歩の先を予測することではない。たとえ三年先の進歩を予測して、それに合う技術を考えたところで、またすぐに時代遅れになる。それは妄想ではなく「想像」だ。

妄想は、現時点での最先端から始まるわけではない。むしろ、現実の世界に対して違和感を抱くところから始まる。歌舞伎座でイメージした世界こそが、私にとっては「こうあるべき自然な世界」なように。

10　喉の動きから言葉を推測する「サイレントボイス」

今は「人間拡張」というテーマを掲げてさまざまな研究をしているのだが、そのひとつの方向性として重視しているのは、人間と人工知能を統合する「ヒューマンＡＩインテグレーション」という概念だ。ニューラルネットやディープラーニングといったＡＩ技術を取り入れることで、サイボーグのように人間が拡張されるイメージである。

たとえば最近は、「ソット・ヴォーチェ」と名付けた研究を手掛けている。[※3] 声を出さずに、口をかすかに動かすだけで何を喋っ

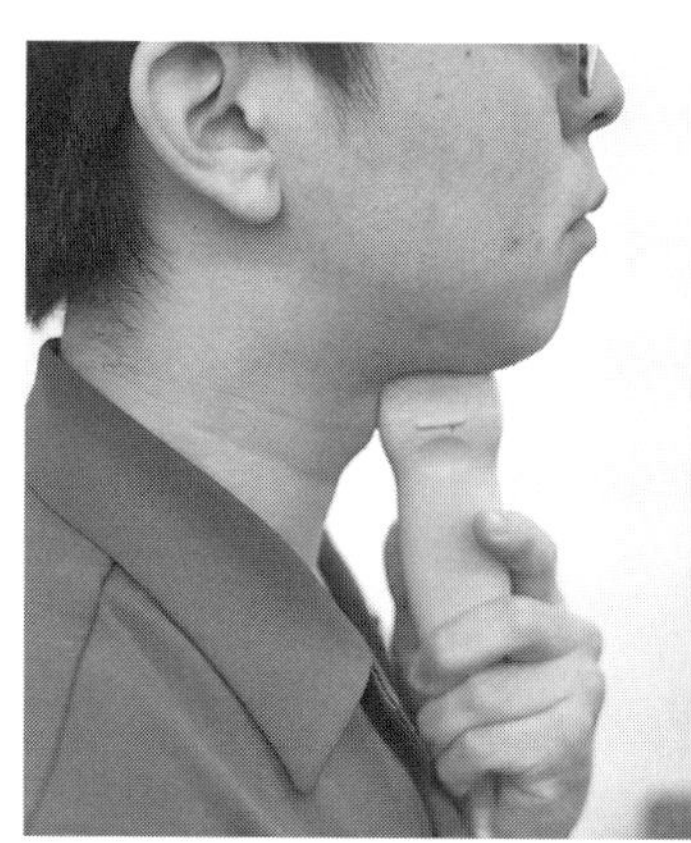
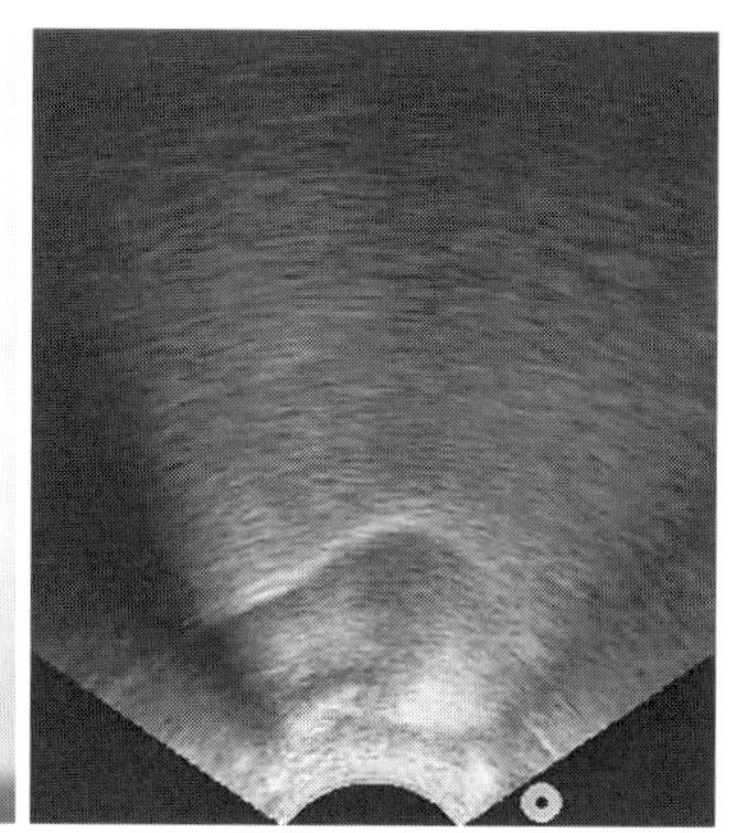

サイレントボイスの研究「ソット・ヴォーチェ」

ているのかを読み取り、それを音声に変換する「サイレントボイス」と呼ばれる技術の研究だ。

とはいえ、いわゆる「読唇術」ではない。口の動きをカメラでとらえて「読む」ことのできるＡＩは、すでに存在する。

そうではなくて、ソット・ヴォーチェが「読む」のは、口やその中の舌の動きだ。喉につけたセンサーで振動の波形を読み取り、それがどんな単語なのかをニューラルネットに判断させる。さまざまな単語とそれを発音したときの波形のデータがあれば、ニューラルネットがその中から「正解」を見つけてくれる。

パソコンやスマートフォンの音声認識技術はどんどん精度が高まっているが、家の中で「アレクサ、音楽かけて」などと呼びかけるならともかく、電車の中やオフィスなど他人のいるところでは使いにくい。でも喉の動きで判断してくれるサイレントボイスの精度が上がれば、腹話術ぐらいのかすかな口の動きからも言葉を読み取れるようになるだろう。

声を出さずに「喋る」ことができるのだから、これは能力の拡張だ。たとえばこのシステムをイヤホンに仕込めば、軽く口を動かして「ストップ」「次の曲」などと命令したり、聴きたい曲名を伝えることで、スマートフォンの音楽をコントロールすることも可能になる。もちろん、義足によって身体的なハンディキャップが補われるように、喋ることの不自由な人のハンディキャップを補うこともできるだろう。

このように、ＡＩとの統合は人間をさまざまな方向に大きく拡張する可能性を秘めている。「声なき声」を発することができるだけではない。ニューラルネットと接続されることで、人間の能力はさまざまな形で拡張されるはずだ。

11　ソフトウェアをダウンロードして使う人工内耳

たとえば、聴覚障害者が使う人工内耳は、すでに「人機一体」の人間拡張デバイスだと言えるだろう。内耳の蝸牛（かぎゅう）に電極を接触させることで聴覚を補う仕組みだ。完全に聴覚を失ったマイケル・コロストという博士号取得者が書いた『サイボーグとして生きる』（ソフトバンククリエイティブ）には、人工内耳を頭部に埋め込む手術を受けることで聴力が回復していく過程が描かれている。人工内耳はコンピュータで制御されるので、ソフトウェアはバージョンアップが可能だ。

「今日は三つプログラムをあげるので、ダウンロードして試してください」

医師からはそんな指示があるという。それによって、患者の聴覚そのものが「アップデート」されるわけだ。まさにタイトルどおり「サイボーグ」そのものである。博士号を持つ著者は、あたかも人工内耳の共同研究者であるかのように、機械と一体化した自分の感覚や電気刺激が「音」になるまでのプロセスなどを冷静に記述している。人間拡張という概念を考える上でも、じつに興味深い本だ。

それだけでも聴覚障害者の能力は拡張されているわけだが、これをサイレントボイスのようにニューラルネットと接続すれば、健常者の聴覚も拡張できるだろう。たとえば、英語のＬとＲの発音を聞き分けるのが苦手な日本人は、「Ｌ」のときはかすかに振動を感じるような仕組みのアプリをダウンロードすることでヒアリング能力が拡張するかもしれない。あるいは「絶対音感」がない人でもそれを身につけられるとか、「安眠モード」のアンビエント・ノイズを流すとか（そういうイヤホンはすでに存在する）、「耳のサイボーグ化」だけでも考えられることはたくさんあるだろう。

さらに妄想を広げれば、人間の「脳」そのものがニューラルネットとの接続によって拡張されるはずだ。映画『マトリックス』では、ヘリコプターの操縦技術を脳にダウンロードするというシーンがあった。あれはスマホにアプリをダウンロードする概念の発展だと考えればいいだろう。人工内耳の話を思えば、もはやＳＦだけの絵空(えそら)事(ごと)ではない。外国旅行をするときは、あらかじめ「英語アプリ」や「中国語アプリ」

をダウンロードしておけばどこに行っても会話に不自由しない、という時代はきっと来る。

そうなると、拡張された人間の能力はすべて「書き換え」や「入れ替え」が可能だ。スマートフォンのアプリをダウンロードしたりアップデートしたり削除したりするのと変わらない。拡張されていない人間は、いわば基本アプリだけが入っている工場出荷状態のスマートフォンみたいなものだ。そこから多様なアプリをダウンロードしていくうちに、人とは違う自分だけのスマートフォンになるのと同じように、どんなアプリを使うかによって「個性」の違いが生じるようになるかもしれない。

スマートフォンのアプリからのアナロジーで言うと、こういう能力拡張アプリは、一部の専門家だけではなく、ある程度の技能を習得すれば誰にでも開発できることがポイントだと考えている。多くの人のアイデアがアプリとして具現化したことで、スマートフォンは単なる携帯電話の域をはるかに超えるものになった。それと同様なことが人間拡張の世界でも起きるのではないか。アプリとしても拡張能力を販売したりオープンソースとして配布することも当たり前になるだろう[※4]。未来のプログラミング教育では、画面中のキャラクターや実世界のロボットの挙動をプログラムするだけではなく、学習者自身の能力をリプログラミングするようになるかもしれない。

12 入試ではAIを含めた「矯正学力」を

私はプログラマーなので、「必要ならいつでもプログラムを書き換えられる状態」には安心感を覚えるけれど、「自然な人間らしさが損なわれるのではないか」といった抵抗感を覚える人もいるかもしれない。

でも人間は、すでに「自然のまま」ではなくなっている。人工内耳のはるか以前からそうだ。眼鏡は視力を拡張したし、心臓のペースメーカーを体内に埋め込んでいる人も大勢いる。「医療はマイナスを埋めるものだから、能力を拡張しているわけではないだろう」と言われるかもしれないが、たとえば誰でも着用する衣服や靴が「自然のまま」かといえば、決してそんなことはない。人間はそれによって、寒さに耐える能力や足を痛めずに歩いたり走ったりする能力を拡張した。「アプリ」のダウンロードも本質的にはそれと同じことだ。

以前、京都大学の入学試験でスマートフォンを使ったカンニング事件が起きた。ネットの質問サイトに問題を投稿して答えを教えてもらうという手口だ。ダウンロードしたアプリによる能力の拡張が進めば、それはもう「カンニング」ではなくなるだろう。その是非には、もちろん議論の余地があるが。

すでに私たちはネット検索なしでは暮らせない。みんな「何でも持ち込みアリの試験」のように、それに頼って仕事をこなしている。試験のときだけ「裸の頭」の学力を測定することに、もはやどれだけの意味があるのか。裸眼では視力が低くても、眼鏡をかけた矯正視力が十分なら運転免許は取得できる。ならば、ニューラルネットを含んだ「矯正学力」で合否を決めても問題はないのではないか。

同じ道具を持っていても、その使い方によって結果には差が出ることもある。はるか昔に遡れば、石器時代からそうだった。私たちホモ・サピエンスの祖先たちはもちろん、ネアンデルタール人も石器は持っていたらしい。でも、その使い方はホモ・サピエンスのほうが上手だった。道具なしの「裸の動物」としてはネアンデルタール人のほうが強かったので、もし石器が発明されていなければ、現在の地球は彼らが支配していたかもしれない。しかし石器という道具によって拡張された能力は、ホモ・サピエンスのほうが高かった。いわば「矯正学力」でネアンデルタール人を上回ったわけだ。

ヒューマンＡＩインテグレーションによって「矯正」できるのは、もちろん学力だけではない。スポーツもそれによって大きく変わるだろう。ラグビーのワールドカップでもそうだったが、すでに今は選手がＧＰＳデバイスをつけた状態で練習して、そこから多くのデータを収集したりしている。相手の試合の映像を分析して、選手ごとの癖などを丸裸にするのもそれほど難しくはない。

ニューラルネットに接続されたアスリートは、そういうデータによって「予知能力」を身につけることができるだろう。相手の動きと自分の動きから、ＡＩが〇・五秒後に起こる変化を予測したりするわけだ。

対戦する双方がそれによって情報を得ながら戦うと、「ＧＡＮ」の敵対的生成ネットワークのような状態になるかもしれない。そこでも、道具を使いこなす能力を含めた「矯正戦闘力」が勝負を分けることになるだろう。

13　「時差」を解消したいという妄想

「人間拡張」は今の私の大きなテーマだが、もっと素朴なレベルの妄想もいろいろある。

　たとえば、傘をささずに雨に濡れない技術。天気予報の精度はたしかに上がったけれど、いちいち傘を持っていくかどうかを考えるのは面倒だ。なぜ二一世紀にもなって二〇年も経つというのに、「傘を忘れたからコンビニで買う」みたいなことをしなくてはならないのか――そんなことを考えていると、そもそも雨の日に傘をさすことが、こんなにも不合理なことかと思えてくる。スイッチを入れると何かバリアのようなものが体を覆って、水を弾いてくれるデバイスがあったら、すごく便利だろう。

　あるいは、美味しい料理を一発で作ることのできる技術。これまで食品会社がそれに取り組んできて、インスタントラーメンやレトルト食品などを発明してきたわけだが、やはり美味しさの点では料理人の手作りに及ばない。ならば、自分の代わりに短時間で料理してくれるロボットがあればいいだろう。

　しかし機械を使うと料理の味が損なわれることがある。これはソニーＣＳＬの合宿に招待したスローフード協会の方から聞いたのだが、パスタに使うジェノベーゼソースを作るとき、イタリアの一流の料理人はフードプロセッサを使わないそうだ。熱によってバジルの風味が落ちてしまうので、すりこぎを使う。そんな話を聞くと、私たちエンジニアは「では温度を上げずにジェノベーゼソースを作れるロボットはどんなものか」と考え始める。

「雨に濡れたくない」「美味しいものを簡単に食べたい」——どちらも子供の欲望みたいなものだが、それが妄想の原点だ。何とか実現したいというのは、ほとんどドラえもんの「ひみつ道具」みたいなレベルの話だ。

ソニーCSLの私の研究室にも、『ドラえもん』全巻が揃っている。購入したときはソニーの経理から「これは……何ですか？」という質問が来たけれど、れっきとした研究のための参考図書である。

また、これもドラえもん的な発想かもしれないが、「時差」をなくしたいという妄想もある。テレプレゼンス技術の進歩で地球上の距離は縮まり、遠隔地との会議などが当たり前にできるようになってきたが、時差の問題はまだ解決できていない。アメリカの会議に日本から参加するには、午前四時に起きなければいけなかったりして、不便だ。

かつてアメリカの国務長官として世界中を飛び歩いていたキッシンジャーは、どこにいてもアメリカの東部時間で行動していたという。たとえイスラエルを訪問していても、キッシンジャーの執務時間はアメリカ時間の朝から夕方まで。たとえそれが現地時間の午前四時だったとしても、面会や会議などはキッシンジャーの都合の良い時間に行なわれたので、キッシンジャーには時差がなかったそうだ。これはこれで現地の人たちが困る。だけど、誰もがキッシンジャーのようにマイペースで行動できるようになったらどんなに楽だろう。

そのためのアイデアがないわけではない。まず一年を三六五日ではなく三六〇日に設定する。その分、一日は二四時間よりも二〇分ほど長くなり、太陽の運行とは一致しない。正午の太陽の位置は、少しずつズレていく。でも、二カ月に一度はズレが元に戻って、時刻と太陽の位置が一致する計算だ。つまり時差を世界中で分散して受け入れることができるなら、世界中が同じ標準時で生活できるということだ。

このようにして世界の標準時をみんなが共有すれば、時差はなくなるのではないか。誰に話しても今のところまったく賛同を得られないので、いずれまた別のクレームを考えたいと思っている。

イノベーションにはそういう妄想が必要だと思う。ところが今の社会は、それを生みにくい、あるいは受け入れにくい状況になっているように思えてならない。
ではどうしたらいいのか。
続く最後の章では、妄想を育てる社会のあり方について考えてみたい。

※1 Jun Rekimoto, Katashi Nagao, The world through the computer: computer augmented interaction with real world environments, ACM UIST 1995

※2 暦本純一、2次元マトリックスコードを利用した拡張現実感の構成手法、日本ソフトウェア科学会 WISS 1996

※3 Naoki Kimura, Michinari Kono, Jun Rekimoto, SottoVoce: An Ultrasound Imaging-Based Silent Speech Interaction Using Deep Neural Networks, ACM CHI 2019

※4 暦本純一、Perspective: IoTからIoAへ、人類を拡張するネットワーク,日経エレクトロニクス(1164), 89-101, 2016-02では、これを「オープンアビリティ」と名付けている

終章

イノベーションの源泉を枯らさない社会へ

1　妄想で「キョトン」とする空気をつくれるか？

人に自分のアイデアを話すと、さまざまな反応がある。私が個人的に嬉しいのは、相手が思わず笑ってくれたときだ。嘲笑、愛想笑いなど、笑いにもいろいろあるが、人は面白いアイデアに出合ってビックリしたときも笑う。驚いて思わず漏れる笑いは、世界共通だと思う。スマートスキンを学会で発表したときも、その動画を見た会場からどよめきとともに笑い声が聞こえてきたので、とても嬉しかったことを覚えている。たぶん、この笑いは「今まで当たり前だと思っていたことよりも、もっとずっと自然なことがあったんだ」という気づきから来るのではないだろうか。

反対に、最初から「そうだよね」とみんなに同意されたり、中途半端に理解されたりするのは必ずしも嬉しくない。想定内のことを話してしまったようで、自分のアイデアのスケールが小さく感じられるからだ。それならばむしろ「何わけわからないこと言ってるんだ」と突き放されたほうが、その妄想には可能性があるかもしれない。

アインシュタインは、「最初に馬鹿げたように見えないアイデアには見込みがない。(If at first the idea is not absurd, then there is no hope for it.)」とまで言っているそうだ。

そういう反応の中で私がいちばん好きなのは、話を聞いた相手が「キョトン」とすることだ。否定するわけではなく、だからといって肯定するわけでもなく、私の言葉にキョトン、とする。「えーっと、いったい何を言ってらっしゃるんですか？」と顔に書いてあるのがわかって、なんだか面白い。

私は日頃から、そういう「キョトン」にわりと出合う。自分がキョトンとした瞬間もよく覚えている。**この「キョトン」は大事だ。自分の妄想やアイデアが、他人の価値軸とは違う価値軸の上にあることを、表わしている。**誰でも考えるようなことなら、いくらか飛躍や説明不足があっても、キョトンとはされない。相手は自分の知識で話の中身を補って「ああ、なるほど」と納得するからだ。そんな反応をされる妄想は、面白くない。人をキョトンとさせるのが、妄想を形にする上での第一フェーズだと言ってもいいぐらいだ。

2　「光速エスパー」から妄想したテレプレゼンス・システム

そんな「キョトン感」のある最近の研究をひとつ紹介しよう。

それは、私が「チカ」と名付けたテレプレゼンスのプロジェクトから始まった。名称の由来は、私が子供のころにテレビで見ていた『光速エスパー』※1という特撮ヒーロードラマに登場する小鳥型のロボットだ。この研究を始めるとき、平成生まれの学生に「光速エスパーがね、」と言った時点でキョトンとされたが、そのキョトンはあまり重要ではない。

光速エスパーは、ヘルメットとロケットのついた「強化服」を着て活躍する少年だ。それだけでも人間拡張的で先進的だが、さらにその肩に乗ってエスパーをサポートするロボットというコンセプトが秀逸だ。それがチカである。

しかし、これはただのロボットではない。エスパー星で暮らしている主人公の母親が、息子が出動するとそこにジャックインする。チカのカメラやマイクなどを通して息子と同じ情報を得て、遠隔サポートしているのだ。エスパーにとっては、頼りになる母親が常に肩に乗っているのと同じことになる。昭和四〇年代の子供向けドラマとは思えない先駆的な設定ではないだろうか。

『光速エスパー』。主人公の少年の肩に乗っている鳥型ロボットが「チカ」。エスパー星にいる母親が、チカにジャックインする　©宣弘社

私たちの「チカ」も、同じような肩乗せ型のテレプレゼンス・システムだ。
たとえば遠方の会議に行けないとき、現地にいる代理人の肩にチカを乗せておく。そこにジャックインすれば、どこにいても会議に参加できるだろう。その場の様子は見えるし、話をすることもできる。

それ以外にも、使い途はいろいろある。海外旅行に行く人にチカを連れていってもらえば、家にいながらそれを通して外国を疑似体験することも可能だ。外出できないお年寄りが子や孫に買い物に行ってもらい、チカを通して店頭で品定めすることもできるだろう。

また、便利になるのはチカにジャックインする人だけではない。海外旅行で言葉がわからずに困ったら、チカに通訳の人を「召喚」することもできる。あるいは、交通事故を起こしてしまったとき、今は損保会社に電話して、事故の相手と話してもらうことができるが、それもチカに「召喚」すればいい。事故現場の様子も見ることができるから、ほとんど現場に呼んだのと同じ対応ができる。警察にあらぬ嫌疑をかけられたときに弁護士を召喚できれば、こんなに心強いことはない。

……と、ここまではそんなにキョトンとせずにわかってもらえたと思う。これ自体もさまざまな発展性のある良いアイデアだと思うのだが、面白かったのは、そこから

TiCAプロジェクト

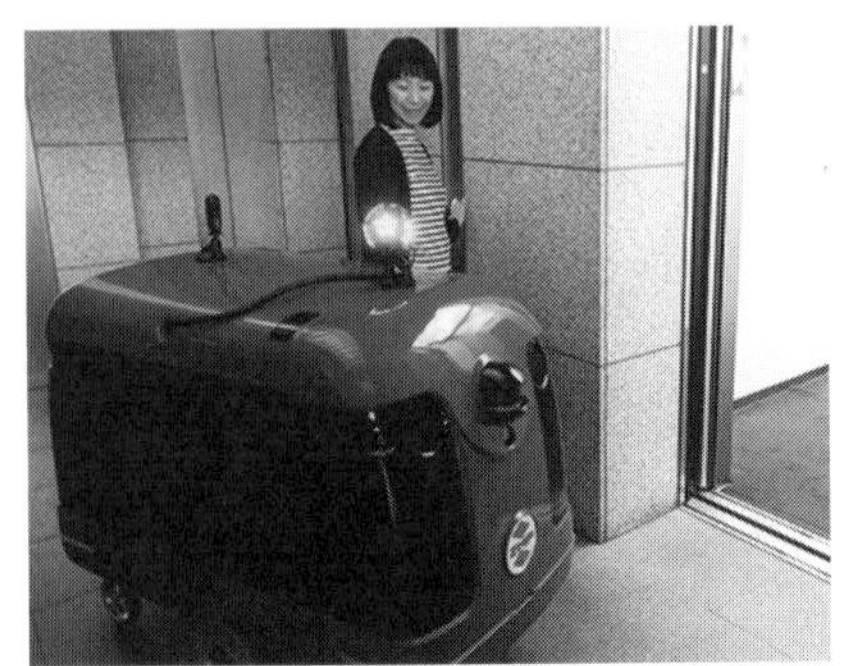
テレプレゼンスプロジェクト「TiCA（チカ）」。TiCAを装備したCarriRo Deliveryが自律走行し、商品を目的地まで届ける

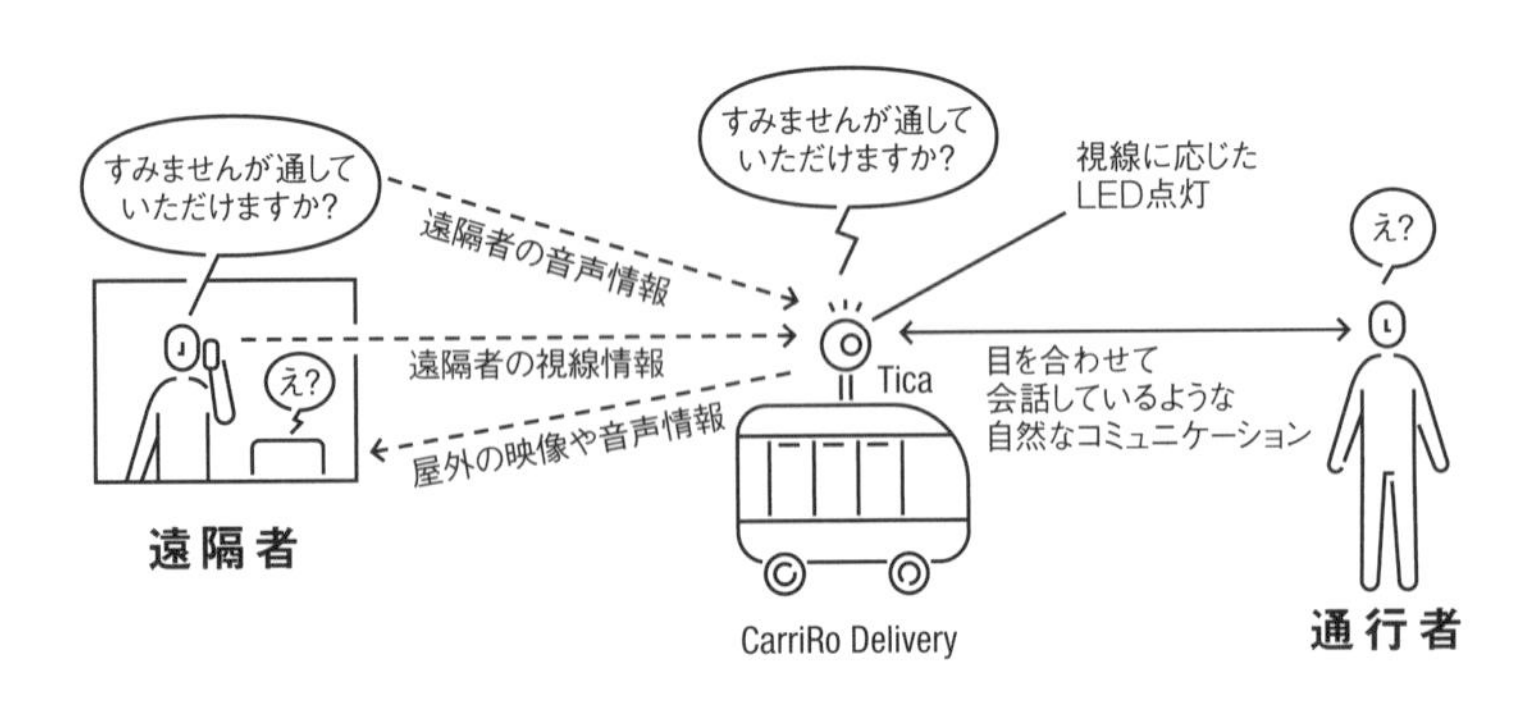

先だ。

チカの方向性についてミーティングをしていたとき、ある学生がこう言い出した。

「これ、肩に乗せるのではなく、お面にしちゃったらどうですかね？」

最初は何を言っているのかよくわからなかった。まさに、キョトン、だ。小さいデバイスを代理人の肩に乗せるのではなく、「お面」にして代理人にかぶらせるという。その「お面」に映し出されるのは、ジャックインしている人の顔だ。そこにある身体は代理人のものだが、顔や声は遠くにいる他人のもの。ある種の「二人羽織（ににんばおり）」みたいな状態である。

そんなことをしてどうなるのか。思いついた本人も、とくに具体的な目論見があったわけではないようだ。でも私は「面白いかも」と思った。何の実用性があるのかわからないけど、とりあえずやってみたら何か起こりそうだ。

3　哲学的な問題まで生んだ「人間ウーバー」

このシステムはカメレオン・マスクと名付けられた。そして実際にやってみたらこれが予想以上に面白かった。

いちばん驚いたのは、区役所で行なった実験だ。仮面をつけた代理人が区役所の窓口に（実験であることは告げずアポなしで）行き、住民票の写しを申請する。行った人間ではなく、仮面にジャックインしている人間の住民票だ。

窓口に行った人間は、何も喋らない。すべて仮面が喋り、係員と会話をする。求めに応じて代理人が差し出すのは、ジャックインしている「主人」の身分証明書だ。さすがに何か言われるだろうと思っていた。そんなケースは初めてに決まっているから、区役所の職員も戸惑わないはずがない。

ところが、とくに何の問題もなく、代理人は拍子抜けするほどふつうに対応しても

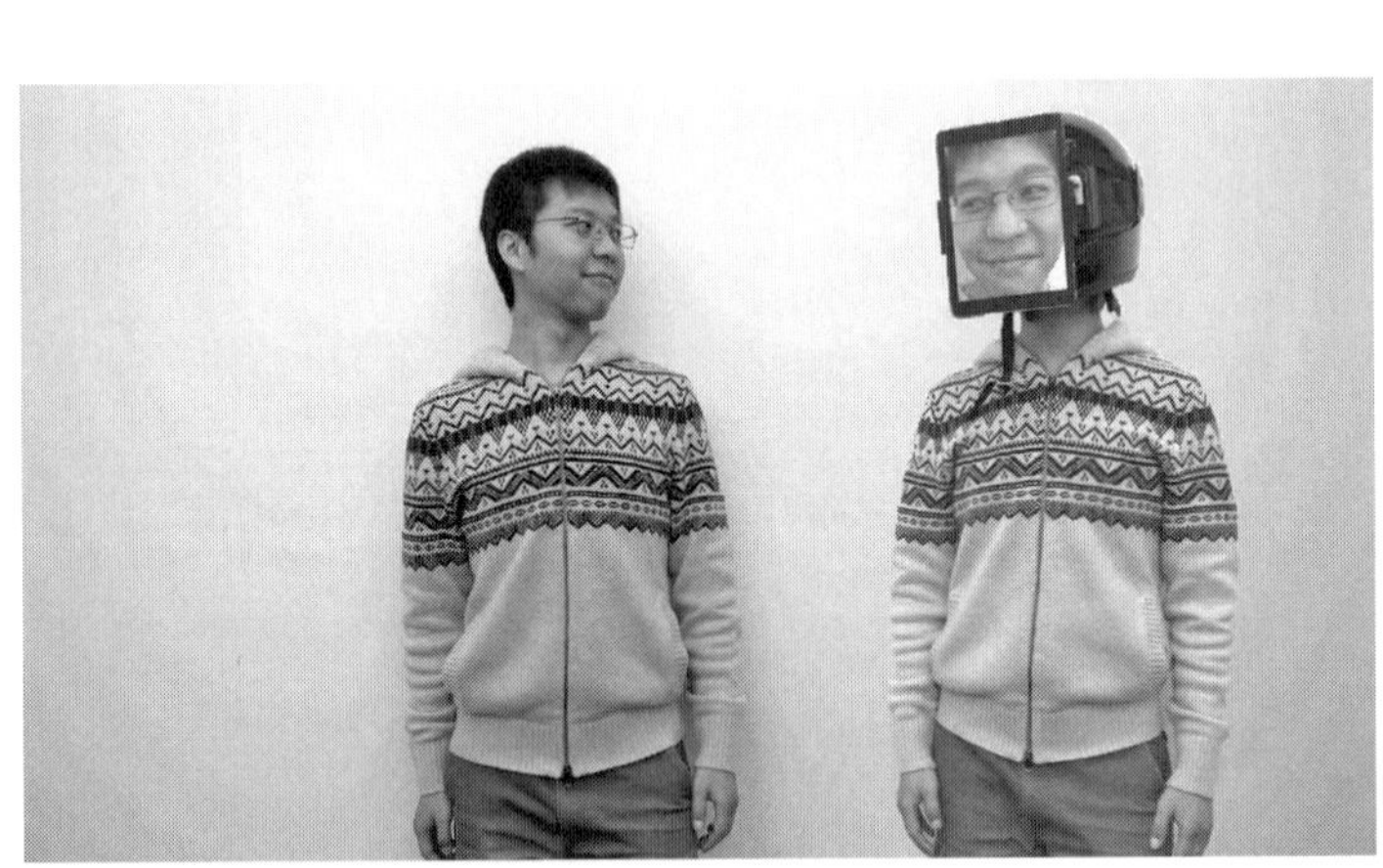

カメレオン・マスク（人間ウーバー）

らっていた。意外すぎる展開である。あまりに信用されているので、代理人を務めた学生はあとで「逆に焦りました」と苦笑していたほどだ。

ただし、代理人役の人が仮面を取り外して自分の素顔を見せると、窓口の係員は「ええっ！」と動揺した。実験であることを説明してから聞いてみると、「画面の中にいる本人がディスプレイをかぶっていると思った」とのこと。人間の存在感は、顔や声に大きく左右されるということかもしれない。たしかに、その場で表情を見ながら会話をしていれば、まさか本人がそこにいないとは思いにくいだろう。

それ以外にも、実験はいろいろ行なった。実家に帰った学生が母親に仮面をかぶらせてそこにジャックインし、母親の身体を借りて祖母の前に現れると、祖母はそれをあっさりと孫だと信じて「お帰り」と言ったそうだ。買い物も、ふつうにできた。代理人はいっさい喋らず、仮面の中の人間が「これください」などと言っても、コミュニケーションが成立する。

これにどんな実用性があるのかはまだよくわからないけれど、人間という存在について考える上で、非常に興味深い現象を見せてくれた。面白いのは、仮面とやりとりをした相手の反応だけではない。代理人として身体を貸した側の反応も、予想外のものだった。

代理人はまったく喋ることがなく、行動もジャックインした人間に指示されたとおりにしかできないのだから、いわば身体を乗っ取られたような状態だ。他人になりすまして誰かを騙していいるわけでもない。自由意志を奪われた存在である。

ところが、私自身もその代理人役をやってみたのだが、その感覚は一種独特だった。ある種の「やり甲斐」を感じるのである。代理人として身体だけを提供することで、自分が判断する責任から解放されて「人の役に立っている」というピュアな幸福感を味わえるのだ。もちろん、一日中そんなことをやらされたらストレスの塊になるだろうが、試した学生もみな「三〇分ぐらいならけっこう楽しい」と言っていた。「自由意志を捨てるのは意外と楽しい」というちょっと恐ろしい話でもあるが、そういう人間のあり方は、哲学や社会学や心理学などの研究テーマにできるかもしれない。


最初は何の意味があるのかわからなかった。しかし、その後ウーバーが流行りだしたときに、これはいわば「人間ウーバー」なのではと気づいた。ウーバーは、専業のタクシー運転手ではなく、誰でも自分の労働時間の一部をタクシー運転手として提供しようという、シェアリングエコノミーの発想から生まれた企業だ。しかしその発想をさらに進めると、車で身体ごと運んでもらうのではなく、遠隔地の人間に「存在感」だけを運んでもらうことも考えられる。遠隔地の誰かが、自分の時間の一部を他人に貸すことができるようになる。代理人の肩に乗ったチカとは違い、運ばれた先で会う人たちは本当に自分に会った気持ちになれる。もちろんジャックインした人間もその場の臨場感は十分に味わえるから、まさに「テレポーテーション」しているようなものだ。

何の役に立つかわからない実験であるにもかかわらず、これは大いに話題になった。ウェアラブルコンピュータの著名な国際学会で論文賞をとり、メディアも関心を示して、ＢＢＣでも取り上げられた。[※2] さらに、スウェーデンの大学との共同研究も始まった。彼らはこれを演劇に応用したいという。

演劇というコンテクストが与えられると、さらにいろいろと考えられる。たとえば演技の未熟な若い役者が仮面をつけて、そこにベテランの上手(うま)い俳優がジャックインして表情と台詞を担当すると、何らかのトレーニングになるかもしれない。あるいは、そのまま「二人羽織」的なパフォーマンスとして使うこともできるだろう。途中でジャックインする人間が入れ替わるのも面白い。ＡＫＢ48だと思って見ていたグループが、突如として乃木坂46になっていたりするわけだ（入れ替わっても私は気づかないかもしれないけれど）。

さらに、本書の執筆開始時には想定もしていなかったが、新型コロナウイルスにより移動のコストが飛躍的に大きくなってしまった。そうなると遠隔地に自分の「代理人」を送り込みたいというニーズが激増する。それもテレプレゼンスロボットのような高価なハードウェアを使わずとも、「お面」だけでよいとなれば……と妄想が広がっていくのである。

4 「選択と集中」だけでは未来に対応できない

さて、面白い研究の話が長くなってしまったが、ここから考えてみたいことがある。

チカを「顔にしちゃったらどうですかね」と提案した学生は、こんなにいろいろな発展性があると思っていたわけではない。「何だか面白そう」という直観があっただけだ。私たちも一瞬キョトンとはしたが、キョトンとするぐらいに面白い思いつきだということは感じていた。

ここで彼女が素晴らしかったのは、とりあえず顔にディスプレイをつけるシステムを手早く実装したことだ。いったん最初のシステムが立ち上がると、ここまでに説明したように、さまざまな可能性をもったアイデアであることがどんどんわかってきた。まさに「決着をつけるための最短パス」を実現したのだ。

しかし、もし彼女がそれを言い出したときに誰も相手にせず、「かぶったら代理人は前が見えないだろう」とか「それで何の役に立つのか」「もっと実用的なことを考えないと」などと即座に否定していたら、このアイデアはその時点で死んでいたかもしれない。私たちの研究室にはそういう「人をキョトンとさせる妄想」を面白がる空気があるから、そうはならなかった。しかし今の社会はどうだろうか。

まず「真面目で正しい課題」があって、その解決に役立つ技術開発が求められてはいないだろうか。

そんな傾向を象徴するのが、科学技術政策に関する議論などでしばしば見聞きする「選択と集中」というキーワードだ。問題解決や経済発展に役立つと思われる実現可能性の高い研究分野を選択して、資金や人員などをそこに集中することで無駄をなくそうという考え方だ。研究者が競争的資金を得ようとすると、応募書類に「解決すべき社会的課題」を明記しなければならないことも多い。

でも、成功の可能性が高いものを「選択」して、予算を「集中」的に投入するというやり方には大いに疑問を感じる。なぜならその根底には、未来が予測可能であるという奢（おご）りがあるからだ。「予測できる未来」に向けて、技術開発をコントロールできるという発想があるからだ。

しかし、その発想だけでは、「予想できない未来」を開拓する技術は生まれない。あらかじめ設定された目的の達成につながる「正解」だけが高く評価されるようになってしまう。そうなると、人をキョトンとさせるアイデアに耳を傾ける余裕もなければ、それを試している余裕もない。予測できない未来への可能性をことごとく摘み取ってしまっているのである。

5　ディープラーニングというブレイクスルーは誰が起こしたか

技術開発は、どこから新しいものが生まれるか予想がつかない世界だ。思わぬ研究者や研究機関から、思わぬ発見が飛び出すことはよくある。同じ課題解決を目指して激しい先陣争いがくり広げられている分野も多いが、より多くの資金や人員を集中的に投入すれば競争に勝てるというわけではない。

たとえばＡＩ（人工知能）研究の分野では、「深層学習（ディープラーニング）」がそうだった。人間が行なうタスクをコンピュータに学習させる「機械学習」の手法のひとつで、多層のニューラルネットワークを使う。二〇一二年に発表された深層学習による画像認識の研究は、従来の方法をはるかに凌（しの）ぐ性能を示し、その後のＡＩ研究のゲームを完全に置き換える起爆剤となった。たとえば囲碁で人間のチャンピオンを下して話題になった「AlphaGo」を生んだのも、グーグル翻訳をはじめとする機械翻訳の精度を一気に高めたのも、深層学習を基にした技術だ。

ＡＩは最先端の研究分野だから、専門的なことはわからなくても、そこに激しい競争があることは誰でも想像がつくだろう。当然、常にイノベーションの先陣を切り続けているアメリカの大学では、この分野に大きなエネルギーを注ぎ込んでいる。ＡＩ開発競争はアメリカが優位だと誰もが思っていた。

でも、深層学習を生み出して世界に衝撃を与えたのは、カナダのトロント大学だった。私は三〇年ほど前にカナダに留学していたので、あの国の大学がどんな雰囲気かをなんとなく知っている。アメリカの大学のような、研究費を稼ぐために短期的な業績を求めてガツガツする切迫感はない。どちらかというと、マイペースでのんびりしている。私が留学したアルバータ大学は、冬になるとマイナス三〇度。雪に閉ざされてしまい、世界の片隅に隔離されたような気持ちになった。世界の中心で行なわれている競争とは違うアプローチで物事を考えられる環境かもしれない。

ニューラルネットワークの研究は一九五〇年代に始まっていたが、なかなか成果が上がらず、九〇年代後半からは「AI冬の時代」と呼ばれる時代が続いていた。すぐには目に見える業績が上がらず、研究資金も得られないので、そこから離れた研究者も少なくなかった。

そんな分野で深層学習というブレイクスルーを起こしたのがカナダの大学だったのは、単なる偶然ではないと私は思う。「選択」も「集中」もされていなかったからこそ、世界の大勢（たいせい）とは異なる発想ができたのではないか。

たしかに、「選択と集中」によって効率よく成果を得られることもあるだろう。しかしそれは、「これから何をすればよいか」が明確にわかっているときだけだ。大事なポイントがわかっているなら、当然、そこに大量のリソースを投入することで効率は上がる。

でも、AI冬の時代に誰もが手探りで「何をすべきなんだ？」と迷いながら模索している段階では、どれを選択すべきかもわからない。ひとつだけ選んでリソースを集中させるのは、一社の株だけに多大に投資したり、万馬券に有り金をすべて賭けたりするようなものだ。

そうやって、面白い妄想から生まれる新しいアイデアを潰しているとすれば、イノベーションはむしろ遅滞するだろう。実際、日本の科学技術がかつてのような勢いを失い、大きなイノベーションを起こせずにいるのは、それが大きな要因のひとつではないかと私は思っている。

6　テクノロジーは使われて改良される

日本は、イノベーティブな新しいものをなかなか受け入れようとしない社会だと言われる。たとえばデジタル化という大きな波にも乗り遅れた。二〇〇〇年から二〇一六年までのあいだに、日本の労働生産性は先進国の一位から最下位に転落したが、それはちょうどパソコンが普及した時期と重なっている。世界が一気にデジタル化に舵を切ったのに「紙」の書類にこだわっていれば、労働生産性が相対的に下がるのも当然だろう。

最近も、「自動ハンコ押しロボット」が開発されて話題になった。紙の書類をめくって正しくハンコを押すロボットを完成させたエンジニアリングはある意味すごいが、そこまでして紙やハンコを温存させたいだろうか。「昭和5・0」などと揶揄したくなる時代錯誤感がそこにはある。

マイナンバーの取り扱いもそうだ。経理の関係でマイナンバーを知りたいというので、何気なくメールで送ったことがある。それがいちばん早いし合理的だと思ったからだ。でも先方からは「すぐにこちらではメールを削除しました。今後このようなことは絶対になさらないでください、所定の用紙で簡易書留で送ってください」という返信が来た。個人情報を保護するために（私がかまわないと思っても）メールで送ってはいけないそうだ。デジタル化社会を構築するために施行されたマイナンバーを、わざわざ郵便局に出向いて書留郵便で送るのだ。壮大な無駄としか言いようがない。

そういえば、かつて「ＩＴ担当大臣」がパソコンを使えないとわかって国内どころか世界中が愕然としたこともあった。という社会に、イノベーションを促すような雰囲気が生まれるだろうか？

テレプレゼンスも、技術そのものはどんどん進歩して世界では実用化されているが、日本ではなかなか受け入れられない。スカイプやＺｏｏｍでの参加でもまったく問題ないと思える会議でも、日本でそれをやろうとすると「何を考えているんだ」というネガティブなリアクションを受ける。これは、二〇二〇年に大流行した新型コロナウイルスの影響により急激に受け入れられるようになったが。

ドローンの活用にも同じことが言える。安全性に万全を期すことが最優先されるので、規制ばかりになる。日本では二〇〇グラム以上のドローンは自由に飛ばせないルールがつくられたので、ＤＪＩという会社があえて日本向けに一九九グラムぴったりのドローンを売り出したぐらいだ。そこには「君たち、これでも飛ばさないのかな？」という皮肉なメッセージも込められていると感じてしまう。

新しいテクノロジーは、どんどん使って問題を見つけたほうが改良される。しかしそういう発想が、日本社会ではあまり受け入れられない。人をキョトンとさせるアイデアが「意味がわからないから」と否定されるのと同じように、使ってみないとわからない不確実なものは嫌われる。

テレプレゼンスなど、私たち研究者が集まる国際会議などの常識からすると、いかに日本が遅れているかがよくわかる。学会発表を遠隔から行なうことはもとより、懇親会でも、遠方から参加した人の顔の映ったディスプレイを乗せた自走ロボットが会場内を動き回り、会場にいる人と「立ち話」をしたりしている。

面白いのは、その自走ロボと並んで歩いている人が、他の人の近くを通り抜けるときに、「エクスキューズ・ミー」ではなく「エクスキューズ・アス」と複数形で表現すること。遠くからジャックインしている人と「一緒にいる」という感覚が根づいている。もう一〇年ぐらい前から、そんな光景は自然に見られるようになっていた。「本人が現場に行かないとまともなコミュニケーションは成り立たない」といった日本の常識的感覚は、そこではまったく通用しない。

人間の「サイボーグ化」も、日本人から見ると驚くようなことが世界では進んでいる。たとえばスウェーデンでは、鉄道を利用するICチップを体に埋め込むことが認められた。SuicaやPASMOのような交通系ICカードが、手の中にあるのと同じことだ。手術は簡単で、注射器でICタグを投入するだけ。縫合さえすることなく、それで脂肪の中に保持される。家に忘れて出かけることもないし、紛失することも絶対にない。もちろん、カードを機械に入れてチャージするのと同じように、手を機械にかざせばチャージもできる。

やや余談にはなるが、そういう「サイボーグ化」を趣味のようにしている人たちも世界には少なくない。試しに「ボディハッキング（Body Hacking）」というキーワードでネット検索してみれば、それがどういうことかわかる。

身体にLEDを埋め込んで光らせるような「ファッション」としてのボディハッ

キングもあれば、電子コンパスを体内に埋め込んで渡り鳥のような方向感覚を得るといった実用的（?）なボディハッキングもある。「絶対音感」ならぬ「絶対方位感」が持てるというわけで、まさに人間拡張だ。指に磁石を埋め込んだ人は、壁に埋まっている電灯線の位置を触覚として感じとることができる。私たちの目指す「人機一体」は、こうして着々と実現しつつある。

7　ルールを絶対視して妄想を潰す日本社会

しかし日本の場合、入れ墨はもちろん、ピアスでさえ「親にもらった体を大事にしないのはケシカラン」などと怒る人がいるぐらいだから、こうした「サイボーグ化」を社会が許容するまでにはかなり時間がかかるだろう。

そして、それは「妄想」を許容しない社会に通じると、私は思う。たしかに、ボディハッキングはかなりエキセントリックな趣味だ。でも、そういう衝動のようなものも、社会に役立つイノベーティブなアイデアも、同じように私たち人間の妄想から生まれる。もちろん妄想には危険なものもあるから、無制限にそれを現実化していいわけではない。だが、**イノベーションを起こす社会の土台には、そのポジティブな面への**

寛容さが必要ではないだろうか。

たとえば今の中国は、イノベーティブな妄想にも寛容な社会になっている。深圳あたりの学校では、生徒の頭に脳波を計測するバンドをつけた状態で授業をやっているぐらいだ。映像を見るとかなりディストピア的で、その是非には議論の余地があるかもしれないが、日本なら議論する以前に「冗談じゃない！」と保護者から猛抗議を受けてストップがかかるだろう。世界各国で当たり前に行なわれているタブレットを使う授業さえ、日本は出遅れている。

前に話したように、妄想から生まれたアイデアを形にするには、とにかく手を動かして試してみることが大事だ。新しい技術も同じで、うまくいかないところもあるだろうけれど、とりあえず使ってみなければそれもわからない。妄想に寛容な社会は、そういう試行にも寛容だ。妄想ドリブンだったら、妄想も共有され、たとえば、「病気や怪我で授業に出られない子も、ロボットにジャックインすれば教室に来なくても授業を受けられる」など、思いついたアイデアはどんどん試してみようとなるだろう。

ところが日本は妄想に不寛容なので、新しい技術の「お試し」もなかなかしない。「うまくいくことや安全性が完全に確かめられるまでは使わない」のが今の日本社会の基本姿勢だ。それがうまくいくかどうかより、「ルールに則っているかどうか」が重視される。一応の「実証実験」はやるが、あとはうやむやのまま実用まで進めない場合も多い。

しかもルールを現状に合わせて柔軟に変えることにも消極的だ。ヨーロッパなどでは法律も「やってみてダメなら元に戻す」という感覚でどんどん作り替えるが、日本はいったん決まった法律をある種の戒律であるかのように絶対視する。だからテレプレゼンスによる授業参加も、やってみる前に「ロボットで授業を受けたのを出席としてカウントすべきかどうか」といったレベルで議論が紛糾してしまい、アイデア自体が潰される可能性が高い。

そういう社会で育つ若者は、「とりあえずやってみよう」という試行錯誤の精神が身につかないし、そもそも妄想を持つこと自体を諦めてしまうのではないだろうか。

8　日本は「妄想大国」だったはず

しかし日本という国は、そういう勤勉さを尊ぶ側面がある一方で、ある種の「妄想大国」でもあったはずだ。前章で紹介したとおり、エンジニアの妄想と一体化するようなＳＦ系の漫画やアニメが日本からは山ほど生まれている。

チカの元ネタである『光速エスパー』は今の学生に通じなかったが、『ドラえもん』は今も現役だし、『サイボーグ００９』や『鉄腕アトム』などは古典として生き続けている。『機動戦士ガンダム』や『攻殻機動隊』、『新世紀エヴァンゲリオン』など、それらの系譜に連なる作品も次々と生まれている。人間拡張の章（第6章）で紹介した『ジャンボーグA』も、テレプレゼンス概念の先駆的事例ということで専門家からも高く評価されている。もちろん、ウルトラマン、仮面ライダーなども、私の子供時代から現在にいたるまでひとつの大きな文化として脈々と続いてきた。そういう妄想を育むＳＦカルチャーを大量に浴びてきたという意味で、日本人の多くはイノベーションのための英才教育を受けてきたようなものだ。

ところがそれも、いつの間にか勤勉な「真面目路線」に取り込まれてしまった。今は「クールジャパン」などと称して漫画やアニメを政府が国費で支援する時代だ。こうなると、面白いはずのものもつまらなくなってしまう。学校の授業で「これが名曲だ」と決めつけて聴かされるとクラシック音楽がつまらなく感じられるのと同じかもしれない。「国益のためにこの文化を育てなければならない」などと眉間に皺を寄せて語られたのでは、妄想も吹き飛んでしまう。

そう考えると、中国から劉慈欣（りゅうじきん）の『三体』のようなSF作品が登場し、世界的なベストセラーになっているのは象徴的だと言えるだろう。劉慈欣のほかにも、今は多くの中国人作家がすぐれたSF作品を発表している。今の中国は新しいテクノロジーの導入にきわめて積極的だ。妄想に対するそういう寛容さがあるからこそ、世界に通用するSF作家も次々と現れるのではないだろうか。このままでは、イノベーションの世界でも日本は中国に置き去りにされてしまうという危惧を持つ。

では、どうすればいいのか。

本当にイノベーションを起こしたいなら、「こうあらねばならない」的な真面目路線のほかに、「非真面目」な路線を確保することが必要だと私は思う。つまり、人をキョトンとさせるような妄想を語る人間を排除しない。役に立つかどうかよくわからないアイデアでも、とりあえずやってみる。それが、妄想に寛容な社会だ。

誰もが正しいと認める課題を設定して、その解決策を真面目に追求することを否定はしない。そういう行動ができる人間も、間違いなく社会に必要だ。

しかし、そうやって与えられた問題の正解を模索するだけでは、真面目一辺倒の社会になってしまう。それによって社会全体に悲壮感のようなものが漂っているのが、今の日本ではないだろうか。

自分のやりたいことを思い浮かべて、楽しそうに何かを考えている人が大切にされる社会こそが、イノベーションを生むはずだ。

9 妄想を抱いていない人はいない

かつて、炭鉱には「スカブラ」と呼ばれる人たちがいた。「スカッとしてブラブラしている人」の略だという説がある。みんな一生懸命に炭鉱で働いているのだが、一〇〇人のうち五人ぐらいは、何をするでもなく機嫌の良さそうな風情でブラブラとそのへんを歩いている。それで同じ給料をもらっているのだから怒られそうなものだが、誰も文句は言わない。スカブラの人たちは、「平時」は何もしないけれど、いざ事故やトラブルなどが発生するとすぐに駆けつけてみんなを助けてくれるからだ。アリなどの集団でも同様で、観察すると実際には働いていないアリが一定の比率でいるそうだ。しかし、常に一〇〇パーセントのアリが働いている状態だと、何かが起きたときに余力がなく集団全体が滅びてしまう。

今の社会や企業でも、「スカブラ」的な人たちを抱えることは、その集団全体を強くすることになると思う。何をやっているのか誰が見てもわかる人たちだけではなく、何をやってるのかよくわからない非真面目路線の人たちの存在も許容するのだ。そういう**妄想型の人材も評価される世の中にならなければ、今の社会を覆う悲壮感は消えないし、イノベーションを生む土壌も育たない。**

グーグルには、かつて「二〇パーセントルール」と呼ばれる制度があった。「従業員は、勤務時間の二〇パーセントを自分自身のやりたいプロジェクトに費やさなければならない」というルールだ。今はそれが許可制になるなどトーンダウンしているようだが、以前はそれがグーグルの「イノベーションの源泉」とも言われた。従業員の時間を、二〇パーセントだけ「スカブラ」させていたのだ。それも組織に「スカブラ」を抱えるためのひとつのやり方だろう。

イノベーションにつながる妄想は、世界中のいろいろなところで多くの人たちが抱いている。まったく異なる分野で、同じようなアイデアを考えている人間もいる。これは地下でグラグラと煮立っているマグマみたいなものだ。マグマがどこから噴き出すかわからないのと同じように、それらのアイデアのどれが「世界初」のイノベーションとして噴き出すかは誰にもわからない。ノーベル賞をとった研究者や発明家の多くも、たまたまある種の偶然がマグマの噴き出し口としてその人を選んだだけだと考えることもできる。

だから、「選択と集中」でその噴き出し口を狙い撃ちするのはきわめて難しい。多様な妄想を許容して手を広げられるだけ広げておき、マグマが噴出する可能性を高めておくのが、イノベーションを起こすための正しい道だろう。「スカブラ」的な人間の存在を許容、というより「歓迎」することが、それにつながる。企業のみならず、社会全体がそうやってイノベーションの種を広く蒔くようになることを望みたい。

また、「自分のやりたいことが見つからない」という人も、自分自身の中の「スカブラ」を探してみるといい。課題を与えられないと何も考えられないと思っている人でも、どこかにスカブラが隠れているものだ。何の意味があるかわからない妄想をまったく抱えていない人間は、たぶんひとりもいない。

自分の妄想を直視しよう。そして大切にしよう。想像できるものは実現できると言ったのは、SF小説家のジュール・ガブリエル・ヴェルヌだが、未来のほうがはるかに自然だったという世界は、我々の妄想から生まれる。妄想は、そんな未来をもたらしてくれるはずである。

※1　『光速エスパー』のテレビドラマ版は昭和42年から43年にかけて放映されていた

※2　Kana Misawa, Jun Rekimoto, Wearing Another's Personality: A Human-Surrogate System with a Telepresence Face, ISWC 2015

あとがき

本書の執筆についてお声がけいただいたのは、ソニーコンピュータサイエンス研究所（ソニーCSL）のメンバーで執筆した『好奇心が未来をつくる――ソニーCSL研究員が妄想する人類のこれから』（祥伝社）の私の章に興味を持っていただいたのがきっかけだったと記憶している。すでにこの本のタイトルに「妄想」が登場するわけだが、本当に子供のころから怪しいことを妄想したり実験したりすることが好きだった。祥伝社さんといえば『テレパシー入門』（祥伝社ノン・ブック、中岡俊哉著）という本が小学生時代の大の愛読書で、それに感化されて本文でも触れたようにESPカードを自作して「超心理学実験」の実施に余念がなかった。その祥伝社さんから「妄想」を冠した本を刊行させていただくことは誠に光栄であり、感謝の念にたえない。

妄想というのは、もう少し正当にいうと「信念」だったり「ビジョン」だったりするのかもしれないが、そう大上段に振りかざさずに「最近こういう変なことを考えているんだけど、どうですかね」みたいな議論をするのが好きだ。SF作家のウィリアム・ギブスンは「未来を語るのに、大文字のFutureと小文字のfutureがある」という言い方をしている。大文字のFutureは、政府が主導していたり大きな予算がついていたり、あるいは「選択と集中」されたものを意味するが、小文字のfutureはそれぞれの研究者や技術者の個人的な好奇心や興味、あるいは発見から始まる、妄想的な未来だ。そして、得てして本当の未来は小文字のfutureからやってくる。本文でも紹介した深層学習の研究など、AI冬の時代にはメインストリームからはまったく相手にされていなかったので、まさに小文字のfuture、携わっていた研究者の「妄想」から生まれたのではないだろうか。

本書は、すでにネットでも公開している「研究法について」のスライドなどを一応の下敷きとして、最初に連続インタビューを行ない、そこで語った内容を岡田仁志さんに初稿として書き起こしていただいたものに加筆修正する形で執筆した。インタビューは岩佐文夫さん、栗原和子さん、ときにはソニーCSLの本條陽子さんを交え、本書に取り入れることのできなかった脱線した話題も含め、毎回たいへん楽しい時間だった。私は論文以外の文章を書くときは信じられないほどの遅筆なので、この形態をとらなかったら本書を完成させることはできなかっただろう。ここに記して深謝する次第である。

そして、常によい研究環境と機会を与えていただいているソニーコンピュータサイエンス研究所、いつもアクティブで素晴らしい研究に挑戦している東京大学大学院情報学環暦本研究室のメンバーに感謝する。

この本を手にとっていただいた方が、それぞれに自身の妄想を追求し、それを具現化することができれば、そして本書が少しでもその手助けになれば、これにまさる喜びはない。

2020年12月末　厳冬の京都にて

暦本純一

暦本純一（れきもと じゅんいち）

東京大学大学院情報学環教授、ソニーコンピュータサイエンス研究所フェロー・副所長、ソニーCSL京都ディレクター。博士（理学）。ヒューマンコンピュータインタラクション、特に実世界指向インタフェース、拡張現実感、テクノロジーによる人間の拡張に興味を持つ。世界初のモバイルARシステムNaviCamや世界初のマーカー型ARシステムCyberCode、マルチタッチシステムSmartSkinの発明者。人間の能力がネットワークを介し結合し拡張していく未来ビジョン、IoA（Internet of Abilities）を提唱。

1986年東京工業大学理学部情報科学科修士課程修了。日本電気、アルバータ大学を経て、1994年より株式会社ソニーコンピュータサイエンス研究所に勤務。2007年より東京大学大学院情報学環教授（兼 ソニーコンピュータサイエンス研究所副所長）。放送大学・多摩美術大学客員教授。電通ISIDスポーツ&ライフテクノロジーラボシニアリサーチフェロー。クウジット株式会社の共同創設者でもある。1990年情報処理学会30周年記念論文賞、1998年MMCA マルチメディアグランプリ技術賞、1999年情報処理学会山下記念研究賞、2000年iF Interaction Design Award、2003年日本文化デザイン賞、2005年iF Communication Design Award、2007年ACM SIGCHI Academy、2008年日経BP技術賞、2012年グッドデザイン賞ベスト100、2013年日本ソフトウェア科学会基礎研究賞、ACM UIST Lasting Impact Awardを受賞。2018年に平成30年度全国発明表彰「朝日新聞社賞」を受賞。

妄想する頭　思考する手
想像を超えるアイデアのつくり方

令和３年２月10日　初版第１刷発行
令和３年12月15日　　　第５刷発行

編　者　暦本純一
発行者　辻　浩明
発行所　祥伝社
〒101-8701
東京都千代田区神田神保町3-3
☎03(3265)2081(販売部)
☎03(3265)1084(編集部)
☎03(3265)3622(業務部)

印　刷　堀内印刷
製　本　ナショナル製本

ISBN978-4-396-61748-6 C0033
祥伝社のホームページ・www.shodensha.co.jp